Elena Ferrante

Poupée volée

Traduit de l'italien par Elsa Damien

Gallimard

Titre original :
LA FIGLIA OSCURA

Elena Ferrante est l'auteur de plusieurs romans parmi lesquels *L'amour harcelant*, *Les jours de mon abandon*, *Poupée volée*, *L'amie prodigieuse*, *Le nouveau nom*, *Celle qui fuit et celle qui reste* et *L'enfant perdue*, à paraître aux Éditions Gallimard.

1

Je commençai à me sentir mal après moins d'une heure de route. Ma brûlure sur le côté se réveilla, mais je décidai pendant un moment de ne pas lui accorder d'importance. L'inquiétude me gagna seulement quand je me rendis compte que je n'avais plus la force de tenir le volant. En quelques minutes ma tête devint lourde, j'eus l'impression que mes phares faiblissaient de plus en plus et bientôt j'oubliai même que j'étais en train de conduire. Et je me crus soudain au bord de la mer, en plein jour. La plage était déserte, l'eau était calme, mais sur un poteau à quelques mètres du rivage le pavillon rouge flottait. Quand j'étais petite, ma mère m'avait effrayée, elle me disait : Leda, tu ne dois jamais te baigner quand il y a le pavillon rouge, ça veut dire que la mer est très agitée et que tu peux te noyer. Ma frayeur avait perduré au fil des années et même en cet instant, bien que l'eau semblât une feuille de papier translucide déroulée jusqu'à l'horizon, je n'osais y pénétrer, j'étais angoissée. Je me disais : allez, va te baigner, on a juste oublié le pavillon sur la hampe, mais en attendant je restais sur le rivage à tâter l'eau avec précaution, de la pointe du pied. Mais de temps à autre ma mère surgissait en haut des dunes et me criait, comme si j'étais encore une petite fille : Leda, qu'est-ce que tu fais, tu n'as pas vu le pavillon rouge ?

À l'hôpital, quand j'ouvris les yeux, je me revis pendant une fraction de seconde hésiter devant cette mer d'huile. C'est peut-être pour cela que, plus tard, je me suis convaincue qu'il ne s'agissait pas d'un rêve mais d'une alarme imaginaire qui avait duré jusqu'à mon réveil en chambre d'hôpital. Les médecins m'expliquèrent que ma voiture avait terminé sa course dans le rail de sécurité, mais sans grand dommage. Ma seule blessure sérieuse, c'était celle que je portais sur le côté gauche : une lésion inexplicable.

Mes amis de Florence vinrent me voir, Bianca et Marta rentrèrent, et même Gianni. Je racontai que ma sortie de route était due au sommeil. Mais je savais bien que ce n'était pas la faute du sommeil. À l'origine il y avait ce geste, mon geste privé de sens dont, justement parce qu'il était insensé, je décidai tout de suite de ne parler à personne. Le plus difficile à raconter, c'est ce que nous ne parvenons pas nous-mêmes à comprendre.

2

Quand mes filles déménagèrent à Toronto, où leur père vivait et travaillait depuis des années, je découvris avec stupeur et gêne que je n'en éprouvais aucune douleur, je me sentais au contraire légère, comme si c'était seulement à ce moment-là que je les avais mises au monde définitivement. Pour la première fois depuis près de vingt-cinq ans je ne ressentis plus l'angoisse de devoir m'occuper d'elles. La maison resta rangée comme si personne n'y habitait, je ne fus plus harcelée par les courses et les lessives à faire, la dame qui m'aidait depuis des années dans les tâches ménagères trouva un travail mieux rémunéré et je n'estimai pas nécessaire de la remplacer.

Mon seul devoir envers mes filles, c'était de leur téléphoner une fois par jour pour savoir comment elles allaient, ce qu'elles faisaient. Au téléphone elles s'exprimaient comme si elles vivaient déjà de manière indépendante ; en réalité elles habitaient avec leur père mais, habituées à nous maintenir séparés l'un de l'autre jusque

11

dans leurs propos, elles me parlaient comme s'il n'existait pas. Lorsque je les questionnais sur leur vie, elles me répondaient de manière évasive et plaisante, ou avec une mauvaise humeur pleine de silences agacés, ou bien encore en adoptant le ton artificiel qu'elles prenaient quand elles se trouvaient avec des amis. Elles aussi voulaient souvent me parler – surtout Bianca, qui avait avec moi un rapport plus exigeant, voire impé- rieux –, mais c'était seulement pour savoir si elles pouvaient mettre leurs chaussures bleues avec une jupe orange, pour me demander si je pouvais retrouver des papiers laissés dans quelque livre et les leur envoyer de toute urgence, ou pour voir si j'étais toujours disposée à les écouter déverser sur moi toutes leurs colères et tous leurs malheurs, malgré la distance entre les deux continents et l'immense ciel qui nous séparaient. Nos conver- sations téléphoniques étaient presque toujours hâtives, et parfois elles sonnaient faux comme au cinéma.

Je faisais ce qu'elles me disaient, je réagissais comme elles s'y attendaient. Mais l'éloignement me mettant dans l'impossibilité matérielle d'inter- venir directement dans leurs existences, exaucer leurs désirs et leurs caprices se réduisit en fait à effectuer une série de gestes sporadiques sans aucune responsabilité : chaque requête me devint légère, et je vécus chaque tâche que j'accomplis- sais pour elles comme une touchante habitude. Je me sentis miraculeusement libérée, comme si une mission difficile enfin menée à terme avait cessé de me peser.

Je commençai à travailler sans la cadence de leurs horaires et de leurs nécessités. La nuit je corrigeais les mémoires de mes étudiants en écoutant de la musique, l'après-midi je dormais beaucoup en mettant des boules Quies dans mes oreilles, je mangeais une fois par jour, et toujours dans un petit restaurant en bas de chez moi. Très vite tout changea : mes manières, mon humeur et même mon apparence physique. À l'université, je ne m'énervais plus parce que les étudiants étaient trop stupides ou trop intelligents. Un collègue que je fréquentais depuis des années et avec lequel parfois – rarement – je couchais, me dit un soir, perplexe, que j'étais devenue moins distraite et plus généreuse. En quelques mois je retrouvai le corps mince de ma jeunesse et cela me donna une douce sensation de force ; j'eus l'impression d'avoir regagné le juste cours de mes pensées. Un soir je me regardai dans la glace. J'avais quarante-sept ans, dans quatre mois j'en aurais quarante-huit, mais je vis qu'un tour de magie m'avait débarrassée d'un certain nombre d'années. Je ne sais si j'en fus heureuse, mais certainement j'en fus surprise.

C'est dans cet état de bien-être inhabituel que, le mois de juin venu, j'eus envie de partir en vacances : je décidai d'aller à la mer dès que j'en aurais fini avec les examens et les corvées administratives. Je fis des recherches sur Internet, je comparai photos et prix. Finalement je louai un minuscule appartement plutôt bon marché sur la côte ionienne, de la mi-juillet à la fin août. En réalité je ne réussis à partir que le 24 juillet, je fis un voyage tranquille, l'auto était principalement chargée des livres qui me serviraient à préparer mes cours pour l'année suivante. C'était une belle journée, un air torride plein de parfums d'été entrait par les vitres baissées de la voiture, je me sentis libre et nullement coupable de l'être.

Mais à mi-chemin, alors que je prenais de l'essence, je fus tout à coup saisie d'angoisse. Autrefois j'avais beaucoup aimé la mer, mais depuis quinze ans au moins prendre le soleil me rendait nerveuse et me fatiguait très vite. À coup sûr l'appartement serait laid et la vue ne serait qu'un aperçu de bleu dans le lointain, entre de sordides immeubles. Je ne pourrais pas fermer l'œil à cause de la chaleur et de la musique à plein volume provenant de quelque bar. Je fis le reste du trajet avec un brin de mauvaise humeur et en me disant qu'à la maison j'aurais pu travailler confortablement tout l'été avec l'air conditionné et dans un immeuble silencieux.

Quand j'arrivai, le soleil était bas, sur le point de se coucher. Le village paraissait joli, les voix avaient un accent agréable et il y avait de bonnes odeurs. Un vieil homme à l'épaisse chevelure blanche m'attendait : il se montra respectueux et cordial. Il tint avant tout à m'offrir un café au bar puis, à force de sourires alliés à des gestes décidés, il m'empêcha de porter le moindre sac jusqu'à

14

mon logement. Chargé de toutes mes valises, il gravit les escaliers en soufflant jusqu'au troisième et dernier étage, et il déposa mes bagages sur le seuil d'un petit appartement. Celui-ci était composé d'une chambre à coucher, d'une minuscule cuisine sans fenêtre donnant directement sur la salle de bains, d'un séjour doté de grandes baies vitrées et d'une terrasse, d'où on voyait se déployer dans le crépuscule une côte hérissée de rochers et une mer infinie.

Cet homme s'appelait Giovanni, ce n'était pas le propriétaire mais une sorte de gardien ou d'homme à tout faire ; cependant il n'accepta pas mon pourboire et il en fut presque vexé, comme si je n'avais pas compris qu'il agissait simplement selon les règles de l'hospitalité. Lorsqu'il se retira, après s'être assuré à plusieurs reprises que tout allait bien, je découvris sur la table du séjour un grand plateau plein de pêches, de pruneaux, de poires, de raisin et de figues. Le plateau brillait comme dans une nature morte.

Je portai un petit fauteuil en osier sur la terrasse et je m'assis un moment pour regarder la nuit tomber doucement sur la mer. Pendant des années, toutes mes vacances avaient été conditionnées par mes deux petites filles, et quand elles avaient grandi et avaient commencé à voyager de par le monde avec leurs amis, j'étais toujours restée à attendre leur retour. Je m'inquiétais non seulement des catastrophes de toutes sortes (les dangers des voyages aériens et des voyages mari-

15

times, les guerres, les tremblements de terre, les tsunamis), mais aussi de leur fragilité nerveuse, des possibles tensions avec leurs compagnons de voyage, ou des drames sentimentaux à la suite d'histoires d'amour trop hâtives ou sans amour réciproque. Je voulais être prête à faire face à leurs demandes d'aide impromptues, j'avais peur qu'elles m'accusent d'être comme j'étais vraiment, distraite ou absente, absorbée par moi-même. Allez, j'arrêtai de penser, me levai et allai prendre une douche.

Puis j'eus faim et je revins vers le plateau de fruits. Je découvris que, sous leur belle apparence, figues, poires, pruneaux, pêches et raisin avaient vieilli ou pourri. Je pris un couteau et enlevai de gros morceaux noircis, mais l'odeur et le goût me répugnèrent et je jetai presque tout à la poubelle. Je pouvais sortir et chercher un restaurant mais j'y renonçai, vaincue par la fatigue : j'avais sommeil.

Dans la chambre à coucher il y avait deux grandes fenêtres, je les ouvris et éteignis la lumière. Je m'aperçus que dehors, de temps en temps, la lumière du phare jaillissait dans l'obscurité et venait envahir la pièce pendant quelques secondes. Il ne faudrait jamais arriver le soir dans un endroit inconnu, tout est mal défini, toutes les limites se confondent. Je m'allongeai sur le lit en peignoir et les cheveux humides, je fixai le plafond en attendant le moment où il deviendrait tout blanc sous l'éclat de la lumière, j'écoutai le bruit lointain d'un hors-bord et l'écho d'une chanson qui ressemblait à un miaulement. Je n'avais plus de contours. Assoupie, je me tournai dans mon lit et effleurai quelque chose sur l'oreiller : j'eus l'impression que c'était un objet froid en papier vélin.

J'allumai la lumière. Sur l'étoffe d'un blanc éclatant de la taie d'oreiller il y avait un insecte de trois ou quatre centimètres de long qui ressemblait à une grosse mouche. Il avait des ailes membraneuses, il était marron foncé et immobile. Je me dis : c'est une cigale, peut-être son abdomen a-t-il éclaté sur mon oreiller. Je l'effleurai avec un pan de mon peignoir, elle bougea puis s'immobilisa immédiatement. Mâle, femelle ? Le ventre des femelles n'a pas de membranes élastiques, il ne chante pas, il est muet. Quelle horreur ! La cigale pique les oliviers et fait sourdre la manne de l'écorce du frêne sauvage. Je soulevai l'oreiller avec précaution, allai à l'une des fenêtres et le secouai pour faire tomber l'insecte. Ainsi commencèrent mes vacances.

3

Le lendemain je mis dans un sac maillots de
bain, serviettes, livres, photocopies et cahiers,
je pris ma voiture et partis à la recherche d'une
plage et de la mer : j'empruntai la départementale qui longeait la côte. Après une vingtaine de
minutes une pinède apparut sur ma droite, je vis
un panneau indiquant un parking et je m'y arrêtai.
Toutes mes affaires dans les bras, j'enjambai le
rail de sécurité et m'engageai sur un sentier rouge
d'aiguilles de pin.

J'adore l'odeur de la résine, quand j'étais enfant,
j'ai passé des étés entiers sur des plages qui
n'étaient pas encore complètement recouvertes
par le béton de la *camorra*, et qui commençaient
quand finissait la pinède. C'est pour moi l'odeur
des vacances et des jeux estivaux de l'enfance. Le
craquement d'une pigne sèche, le bruit sourd d'une
pomme de pin qui tombe, leur couleur sombre,
tout me rappelle la bouche de ma mère : elle rit
pendant qu'elle écrase les gousses, en extrait les
petits fruits jaunes et les donne à manger à mes

sœurs qui les réclament bruyamment, ou à moi qui les attends en silence ; ou bien elle les mange elle-même en se salissant les lèvres de poudre sombre et en me disant, pour m'apprendre à être un peu moins timide : et pan, rien pour toi, tu es pire qu'une pigne pas mûre.

La pinède était très épaisse, son sous-bois était dense, et les troncs qui avaient poussé sous les rafales de vent semblaient sur le point de tomber en arrière, effrayés par quelque chose venant de la mer. Je fis attention à ne pas trébucher sur les racines luisantes qui traversaient le sentier et je maîtrisai ma répulsion devant les lézards poussiéreux qui abandonnaient les interstices de soleil à mon passage pour fuir à la recherche d'un refuge. Je marchai cinq minutes tout au plus, puis les dunes et la mer apparurent. Je longeai des troncs d'eucalyptus tout tordus qui poussaient dans le sable, empruntai une passerelle de bois qui passait entre des roseaux verts et des lauriers-roses et arrivai à un bel établissement balnéaire.

J'aimai tout de suite cet endroit. Je fus rassurée par la gentillesse de l'homme à la peau mate qui tenait la caisse, comme par la douceur du jeune garçon de plage qui m'accompagna à mon parasol ; il était très fluet, grand et maigre, et portait un tee-shirt et un short rouges. Le sable n'était qu'une fine poudre blanche, je me baignai longuement dans une eau transparente et m'exposai un peu au soleil. Ensuite je m'installai à l'ombre avec mes livres et travaillai tranquillement jusqu'au soir, profitant de la brise et admirant les incessantes métamorphoses de la mer. La journée fila dans une telle sérénité entre travail, rêverie et farniente qu'à partir de ce jour-là je décidai de toujours revenir au même endroit.

En moins d'une semaine tout cela devint pour moi une douce habitude. Chaque jour je traversais la pinède et j'aimais le craquement des pignes qui s'ouvraient au soleil, l'aspect de petites feuilles vertes qui devaient être du myrte, les morceaux d'écorce qui se détachaient des eucalyptus. Le long du sentier j'imaginais l'hiver, la pinède gelée dans le brouillard, le houx qui se couvrait de baies rouges. À mon arrivée, l'homme à la caisse m'accueillait avec courtoisie et satisfaction, et je prenais un café et un verre d'eau au bar. Le garçon de plage, qui s'appelait Gino et était certainement étudiant, ouvrait mon parasol et ma chaise longue avec sollicitude, puis il se retirait à l'ombre ; les lèvres épaisses entrouvertes et le regard concentré, il soulignait au crayon les pages d'un gros ouvrage pour préparer je ne sais quel examen.

Regarder ce jeune homme m'attendrissait. En général je m'assoupissais quand je me séchais au soleil, mais parfois je ne dormais pas, j'entrouvrais tout juste les yeux et je l'observais avec sympathie, veillant à ce qu'il ne me remarquât pas. Il n'avait pas l'air tranquille, son corps beau et nerveux était agité, d'une main il ébouriffait ses cheveux très noirs, et il se tripotait le menton. Il aurait beaucoup plu à mes filles, surtout à Marta, qui tombait facilement amoureuse des garçons secs et nerveux. Et à moi aussi, pourquoi pas. Je me suis rendu compte depuis longtemps que je garde peu de chose de moi-même alors que d'elles je garde tout. Même Gino, maintenant, je le regardais à travers le filtre des expériences de Bianca, de Marta, selon les goûts et les passions que je leur prête.

Le jeune homme lisait mais il paraissait avoir des capteurs sensoriels tout à fait indépendants de sa vue. À peine esquissais-je un geste pour déplacer ma chaise longue du soleil vers l'ombre qu'il bondissait sur ses pieds et me demandait si j'avais besoin d'aide. Je souriais et lui faisais signe que ce n'était pas la peine, que je pouvais bien le faire seule. Il me suffisait de me sentir protégée, sans délais à respecter, sans urgences à affronter. Personne ne dépendait de moi et, enfin, je n'étais plus un poids pour moi-même.

4

De la jeune mère et de sa fille je ne pris
conscience que plus tard. Je ne sais pas si elles
étaient là depuis mon premier jour de plage ou
si elles apparurent par la suite. Trois ou quatre
jours après mon arrivée, je remarquai vaguement
un groupe un peu bruyant de Napolitains, des
enfants, des adultes, un homme d'une soixan-
taine d'années à l'air mauvais, quatre ou cinq
adolescents qui se battaient férocement dans
l'eau comme sur la rive et une femme épaisse aux
jambes courtes et aux seins lourds : elle ne devait
pas avoir la quarantaine et elle se rendait souvent
de la plage au bar et inversement, traînant avec
peine son ventre de femme enceinte qui formait
un grand arc nu tendu entre les deux pièces de
son maillot de bain. Ils étaient tous de la même
famille, parents, grands-parents, enfants, petits-
enfants, cousins, beaux-frères, belles-sœurs, et ils
riaient à gorge déployée. Ils s'interpellaient les uns
les autres par de longs cris, ils s'exclamaient, se
lançaient des boutades et parfois se disputaient :

une famille élargie, semblable à celle dont j'avais fait partie lorsque j'étais enfant, avec les mêmes plaisanteries, les mêmes mièvreries et les mêmes colères.

Un jour je levai les yeux de mon livre et les vis pour la première fois, la très jeune femme et sa petite fille. Elles se dirigeaient du rivage vers le parasol : la jeune femme, qui n'avait pas plus de vingt ans, inclinait la tête, la petite levait le visage vers elle et la regardait fascinée ; elle devait avoir trois ou quatre ans et serrait contre elle une poupée comme une maman porte un bébé dans ses bras. Elles se parlaient calmement, comme si elles étaient seules au monde. La femme enceinte, depuis le parasol, criait quelque chose dans leur direction avec rage, et une grosse femme grise d'une cinquantaine d'années, tout habillée, peut-être sa mère, faisait des signes mécontents pour désapprouver je ne sais quoi. Mais la jeune femme semblait sourde et aveugle, elle continuait à s'adresser à sa petite fille et revenait de la mer à pas lents, laissant sur le sable la marque sombre de ses empreintes.

Elles aussi faisaient partie de la grande famille bruyante, mais elle, la jeune mère, vue ainsi depuis une certaine distance, avec son corps fin, son maillot une pièce choisi avec goût, son cou délicat, la belle forme de sa tête aux cheveux d'un noir brillant, longs et ondulés, son visage d'Indienne aux hautes pommettes, ses sourcils marqués et ses yeux en amande, me parut une anomalie dans le groupe, un organisme ayant mystérieusement échappé à la règle, la victime désormais consentante d'un enlèvement ou d'un échange de bébés.

Dès lors je pris l'habitude de regarder de temps en temps dans leur direction.

La petite avait quelque chose d'étrange mais je ne saurais dire quoi, peut-être une tristesse enfantine ou une maladie latente. Tout son visage ne faisait que réclamer la constante présence de sa mère : c'était une supplique sans pleurs ni caprices et sa mère ne s'y soustrayait pas. Une fois je remarquai avec quelle attention et quelle délicatesse elle l'enduisait de crème. Une autre fois je fus frappée de voir comme le temps paraissait ralentir quand la mère et la fille étaient ensemble dans l'eau, la première serrait la seconde contre elle, la seconde tenait les bras serrés autour du cou de la première. Elles riaient entre elles et goûtaient au plaisir de sentir la pression de leurs corps, de se frotter le nez l'un contre l'autre, de s'éclabousser et de s'embrasser. Un jour je les vis jouer ensemble avec la poupée. Ce jeu les amusait beaucoup, elles l'habillaient, la déshabillaient, faisaient semblant de lui passer de la crème solaire, elles la baignaient dans un petit seau vert et la séchaient en la frottant pour qu'elle ne prenne pas froid, elles faisaient mine de lui donner le sein ou la gavaient de bouillie de sable, elles l'installaient au soleil à côté d'elles, allongée sur la même serviette. Si la jeune femme, en soi, était belle, il y avait dans sa manière d'être mère quelque chose qui la distinguait, on aurait dit qu'elle n'avait envie de rien en dehors de sa fille.

Non qu'elle fût mal intégrée dans son grand groupe familial. Elle discutait beaucoup avec la femme enceinte, elle jouait aux cartes avec des jeunes gens noircis par le soleil qui avaient son âge, des cousins je crois, elle se promenait le long du rivage avec l'homme âgé qui avait l'air féroce (son père ?) ou avec de jeunes femmes bruyantes, des sœurs, des cousines, des belles-sœurs. Je ne repérai personne qui fût visiblement son mari ou le père de la petite. En revanche, je remarquai que tous les membres de la famille prenaient soin d'elle et de l'enfant et leur montraient de l'affection. La grosse femme grise d'une cinquantaine d'années l'accompagnait au bar pour acheter des glaces à la petite. Quand elle l'exigeait sèchement, les adolescents interrompaient leurs bagarres et, même s'ils le faisaient en soupirant, allaient chercher de l'eau, de la nourriture et tout ce dont elle avait besoin. Dès que la mère et la fille s'éloignaient de quelques mètres vers le large dans leur petit canot rouge et bleu, la femme enceinte hurlait Nina, Lenù, Ninetta, Lena, et se précipitait sur le rivage à bout de souffle, ce qui alertait aussi le garçon de plage qui se levait d'un bond pour mieux observer la situation. Un jour où la jeune femme fut accostée par deux individus qui voulaient lui faire la conversation, ses cousins intervinrent aussitôt : des gestes violents et des insultes s'ensuivirent, on frisa la rixe.

Pendant un temps je ne sus si c'était la mère ou la fille qui s'appelait Nina, Ninù, Ninè, tellement j'entendais de noms différents, et j'eus du mal, vu le nombre et la confusion de leurs appels, à aboutir à une quelconque certitude. Puis, à force d'entendre ces voix et ces cris, je compris que Nina, c'était la mère. Ce fut plus compliqué avec l'enfant, au début je me trompai. Je crus qu'elle avait un surnom du genre Nani ou Nena ou Nennella, mais ensuite je compris que c'étaient les noms de la poupée, dont la petite ne se séparait jamais et dont Nina s'occupait comme si elle était vivante, presque comme sa deuxième fille. L'enfant en réalité s'appelait Elena, Lenù : sa mère l'appelait toujours Elena, les autres membres de la famille Lenù.

Je ne sais pas pourquoi, mais j'écrivis ces noms dans mon cahier, Elena, Nani, Nena, Leni ; peut-être aimais-je la façon dont Nina les prononçait. Elle parlait à sa fille et à la poupée dans un dialecte au rythme agréable, le napolitain que j'aime, le napolitain tendre du jeu et des mots doux. J'étais sous le charme. Pour moi, les langues contiennent un poison secret qui de temps en temps écume et pour lequel il n'existe pas d'antidote. Je me rappelle le dialecte dans la bouche de ma mère, et comme il perdait son rythme doux quand elle se mettait à hurler contre nous, ivre d'insatisfaction : j'en ai marre de vous, j'en ai marre. Des ordres, des cris, des insultes ; dans ses paroles, c'était toute la vie qui se tendait, on aurait dit un nerf

fatigué qui, à peine effleuré, chassait douloureuse-
ment toute retenue. Une fois, deux fois, trois fois
elle nous a menacées, nous ses filles, de s'en aller :
vous vous réveillerez un matin et je ne serai plus
là. Je me réveillais tous les jours en tremblant de
peur. En réalité elle était toujours là, mais dans
ses propos elle disparaissait sans arrêt de la maison. Cette femme, Nina, me donnait l'impression
d'être sereine : je l'enviai.

5

Presque une semaine de vacances s'était déjà écoulée : beau temps, léger vent, beaucoup de parasols vides, des dialectes de toute l'Italie qui se mélangeaient au dialecte local et aux langues des quelques étrangers qui venaient profiter du soleil.

Puis arriva le samedi et la plage fut envahie. Ma zone d'ombre et de soleil fut assiégée par des glacières, des seaux, des pelles, des brassards, des bouées et des raquettes. Je renonçai à lire et cherchai au milieu de la foule Nina et Elena comme si elles étaient un spectacle pour passer le temps.

J'eus du mal à les retrouver, je m'aperçus qu'elles avaient traîné leur chaise longue à quelques mètres de la mer. Nina était allongée à plat ventre, au soleil, et près d'elle, dans la même position, il y avait, me sembla-t-il, la poupée. La petite fille, en revanche, allait jusqu'au rivage avec un arrosoir en plastique jaune, elle le remplissait d'eau et, le tenant des deux mains à cause de son poids, soufflant et riant, elle retournait auprès de sa mère pour arroser son corps et atténuer ainsi la chaleur du soleil. Quand l'arrosoir était vide, elle retournait le remplir : même parcours, même effort, même jeu.

Peut-être avais-je mal dormi, ou peut-être des idées noires m'étaient-elles passées par la tête sans que je m'en aperçoive ; en tout cas, je sais que ce matin-là les observer m'agaça. Elena, par exemple, me parut maniaque et obtuse : elle arrosait d'abord les chevilles de sa mère, puis celles de la poupée, à toutes deux elle demandait si c'était assez, toutes deux répondaient que non, et elle repartait. Nina, quant à elle, m'eut tout l'air de minauder : elle miaulait de plaisir, répétait ce miaulement sur différents tons comme s'il sortait de la bouche de la poupée, et soupirait : encore, encore. Je la soupçonnai de mettre en scène son rôle de mère jeune et très belle non par amour pour sa fille mais pour nous, la foule de la plage, pour nous tous, hommes et femmes, vieux et jeunes.

Son corps et celui de la poupée furent longuement arrosés. L'eau brillait sur elle, les jets lumineux provenant de l'arrosoir lui mouillèrent jusqu'aux cheveux qui se collèrent sur sa tête et sur son front. Nani, Nile ou Nena, la poupée fut baignée avec la même persévérance, mais elle absorbait moins l'eau, qui se mettait ensuite à ruisseler du plastique bleu de la chaise sur le sable, qui fonçait.

Je suivais la petite fille dans ses allées et venues et je ne sais pas ce qui me dérangeait – peut-être ce jeu avec l'eau, peut-être le plaisir ostentatoire de Nina, livrée au soleil. Ou peut-être ces voix, oui, surtout ces voix que la mère et la fille prêtaient à la poupée. Elles la faisaient parler parfois à tour de rôle, parfois en même temps, en mélangeant le ton de faux enfant de l'adulte et celui de faux adulte de l'enfant. Elles imaginaient que c'était une seule et unique voix qui sortait de la gorge même de cet objet en réalité muet. Mais à l'évidence je n'arrivais pas à entrer dans leur illusion et j'éprouvais pour cette double voix une répulsion croissante. Bien sûr j'étais là, à distance, qu'est-ce que cela pouvait me faire, suivre leur jeu ou m'en désintéresser, j'avais le choix, ce n'était qu'un passe-temps. Et pourtant non, j'étais mal à l'aise, comme devant quelque chose de mal fait, comme si une partie de moi exigeait absurdement qu'elles se décident et qu'elles donnent à la poupée une voix stable, constante, ou celle de la mère ou celle de la fille : il fallait arrêter de faire comme si c'était la même chose.

Ce fut comme un léger élancement qui, à force d'y penser, devient une douleur insupportable. Elles commencèrent à m'exaspérer. À un certain point j'eus envie de me lever, de couper en diagonale jusqu'à la chaise où elles jouaient, de m'arrêter et de leur dire : ça suffit, vous ne savez pas jouer, arrêtez. Et en effet, n'y tenant plus, je quittai mon parasol dans cette intention. Mais naturellement je ne dis rien, je les dépassai en regardant droit devant moi. Je me dis : il fait trop chaud, j'ai toujours détesté la foule, tous ces gens qui parlent en modulant la voix de la même façon, qui se déplacent pour les mêmes raisons, qui font les mêmes activités. J'attribuai à la plage du week-end ma soudaine neurasthénie et j'allai tremper mes pieds dans l'eau.

6

Vers midi quelque chose de nouveau se produisit. Je somnolais à l'ombre, malgré la musique tonitruante qui provenait du bar, quand j'entendis la femme enceinte appeler Nina comme pour lui annoncer quelque chose d'extraordinaire.

J'ouvris les yeux : je remarquai que la jeune femme tenait sa fille dans les bras et lui indiquait avec une joie marquée quelque chose ou quelqu'un derrière moi. Je me retournai et vis un homme trapu et épais, âgé de trente à quarante ans, qui arrivait par la passerelle en bois, les cheveux coupés ras, moulé dans un tee-shirt noir qui soutenait un ventre lourd au-dessus d'un short de bain vert. La petite le reconnut et lui fit des signes de bienvenue, mais non sans une certaine nervosité, en riant et en cachant son visage au creux de l'épaule de sa mère. L'homme ne se départit pas de son sérieux, il esquissa à peine un signe de la main ; il avait un beau visage, des yeux perçants. Il s'arrêta tranquillement pour saluer le gérant, donna une pichenette affectueuse au garçon de plage qui était tout de suite accouru, et avec lui c'est en même temps toute sa cour joviale d'hommes costauds qui s'arrêta : ils étaient déjà tous en maillot de bain, et ils portaient qui un sac à dos, qui une glacière, qui deux ou trois paquets lesquels, à en juger par les rubans et les nœuds, devaient être des cadeaux. Quand finalement l'homme arriva sur la plage, Nina le rejoignit avec sa fille, interrompant à nouveau le petit cortège. Lui, toujours sérieux, avec des gestes mesurés, commença par lui prendre Elena des bras : elle s'agrippa à son cou et lui donna plein de petits baisers anxieux sur les joues ; puis, sans cesser d'offrir une joue à la petite, il saisit Nina derrière la nuque, l'obligeant quasiment à se courber – il faisait presque dix centimètres de moins qu'elle – et il lui effleura les lèvres à la va-vite : c'était l'imposition compassée du propriétaire.

Je compris que le père d'Elena, le mari de Nina, était arrivé. Parmi les Napolitains ce fut tout de suite la fête, ils se pressèrent autour de lui jusqu'à déborder sous mon parasol. Je vis que la petite fille déballait des cadeaux, que Nina essayait un vilain chapeau de paille. Puis le nouveau venu indiqua quelque chose sur la mer : un bateau à moteur blanc. Le vieil homme à l'air méchant, les adolescents, la femme grise et grosse, les cousins et les cousines se pressèrent le long de la rive en criant et agitant les bras en signe de bienvenue. Le bateau dépassa la ligne des bouées rouges, zigzagua entre les nageurs, dépassa la ligne des bouées blanches et arriva sans couper le moteur entre les enfants et les personnes âgées qui se baignaient dans un mètre d'eau. En descendirent aussitôt des hommes lourds aux visages ternes, des femmes à la richesse vulgaire, des adolescents obèses. Des embrassades, des bisous sur les joues, et Nina perdit son chapeau : le vent l'emporta. Son mari, tel un animal immobile qui, au premier signe de danger, bondit avec une force et une détermination inattendues, le saisit au vol avant qu'il ne touche l'eau et le lui rendit, et ce, bien qu'il portât la petite fille dans ses bras. Elle l'attacha avec davantage de soin : le chapeau tout à coup me parut beau et un frisson déraisonnable de malaise me parcourut.

Le désordre alla croissant. À l'évidence, les nouveaux venus étaient déçus par la disposition des parasols ; le mari convoqua Gino et le gérant de l'établissement arriva également. Je crus comprendre qu'ils voulaient rester tous ensemble, le groupe familial des habitués et celui des visiteurs, en formant un retranchement compact de lits pliants, chaises longues, victuailles, enfants et adultes en liesse. Ils faisaient des signes dans ma direction, où il y avait deux parasols libres, ils gesticulaient beaucoup, surtout la femme enceinte qui, à un moment donné, commença à demander à ses voisins de se déplacer en glissant d'un parasol à l'autre, comme on le fait au cinéma quand on demande à la personne d'à côté d'avoir la gentillesse de se décaler de quelques fauteuils.

Cela créa une atmosphère de jeu. Les baigneurs

hésitaient, ils n'avaient pas envie de déménager toutes leurs affaires, mais des enfants et des adultes de la famille napolitaine commençaient déjà à le faire pour eux, en toute jovialité, et pour finir la plupart se déplaçaient presque de bon cœur.

J'ouvris un livre, mais désormais je sentais en moi un nœud de sentiments âpres qui, à chaque impact de son, de couleur et d'odeur, se faisaient encore plus âpres. Ces gens m'agaçaient. J'étais née dans un milieu qui n'était guère différent du leur, mes oncles, mes cousins et mon père étaient comme ça, ils imposaient leur cordialité. Cérémonieux, en général très sociables, chaque question sonnait dans leur bouche comme un ordre, à peine atténué par une fausse bonhomie, et à l'occasion ils savaient être, en toute vulgarité, blessants et violents. Ma mère avait honte des origines populaires de mon père et de sa famille, et elle voulait être différente ; elle jouait, à l'intérieur de ce monde, à être la femme bien habillée et pleine de bons sentiments. Mais au moindre conflit le masque tombait, et elle aussi adoptait les comportements et la langue des autres, avec la même violence qu'eux. Je l'observais étonnée et déçue, et je me promettais de ne pas lui ressembler, de devenir vraiment différente, moi, et de lui démontrer ainsi combien il était inutile et méchant de nous effrayer avec ses « vous ne me reverrez plus, jamais plus », alors qu'il fallait changer pour de vrai, ou bien elle devait quitter la maison pour de vrai, nous abandonner, disparaître. Comme je souffrais pour elle et pour moi, comme j'avais honte d'être sortie du ventre de cette personne insatisfaite ! Cette pensée, là dans le désordre de la plage, m'énerva encore plus et augmenta et mon agacement envers les manières de ces gens-là et ma légère angoisse.

Dans l'intervalle, quelque chose s'était bloqué dans leurs déménagements. Il y avait une petite famille de laquelle la femme enceinte ne parvenait pas à se faire comprendre : une autre langue, des étrangers, ils voulaient rester sous leur parasol. Tous s'y essayèrent, les enfants, les cousins incapables de les convaincre, le vieil homme grincheux, rien à faire. Puis je m'aperçus qu'ils parlaient avec Gino et qu'ils regardaient dans ma direction. Le garçon de plage et la femme enceinte vinrent vers moi comme en délégation.

Le jeune homme, gêné, m'indiqua les étrangers – le père, la mère et deux garçons en bas âge. Il les appela les Allemands, il me demanda si je connaissais cette langue et si je voulais bien servir d'interprète, et la femme, qui appuyait une main derrière son dos et poussait en avant son ventre nu, ajouta en dialecte qu'avec ceux-là on ne pouvait pas se faire comprendre, je devais leur dire qu'il s'agissait seulement de changer de parasol, rien d'autre, pour leur permettre de rester tous ensemble, amis et parents, c'était pour une fête.

J'adressai à Gino un geste froid de consentement et allai parler aux Allemands, qui se révélèrent être des Hollandais. Je sentis le regard de

Nina posé sur moi et parlai d'une voix forte et assurée. Dès les premiers mots l'envie me vint, je ne sais pourquoi, d'exhiber mes compétences, et je conversai avec plaisir. Le chef de famille fut convaincu, l'atmosphère amicale reprit le dessus, Hollandais et Napolitains fraternisèrent. Quand je retournai à mon parasol, je passai volontairement à côté de Nina et, pour la première fois, je la vis de près. Elle me sembla moins belle, moins jeune, son épilation du maillot était mal faite, la petite fille qu'elle tenait dans ses bras avait un œil très rouge qui larmoyait et son front était plein de boutons de sueur, sa poupée était laide et sale. Je retournai à ma place, j'avais l'air calme mais je me sentais très agitée.

J'essayai à nouveau de lire, mais sans succès. Je pensai non pas à ce que j'avais dit aux Hollandais, mais au ton que j'avais employé avec eux. Un doute me saisit : sans le vouloir, n'avais-je pas été la messagère de ce cloaque arrogant, n'avais-je pas traduit dans une autre langue la substance d'une vilenie ? Maintenant j'étais en colère, contre les Napolitains et contre moi-même. Par conséquent, quand la femme enceinte me montra avec une grimace peinée et s'adressa aux enfants, aux hommes et à Gino en s'écriant : allez, même la dame va se déplacer – n'est-ce pas, madame, que vous allez vous déplacer ? –, je répondis brusquement, d'un ton sombre et combatif : non, je suis bien ici, je suis désolée mais je n'ai aucune envie de me déplacer.

7

Je m'en allai au coucher du soleil, comme d'habitude, mais j'étais tendue et amère. Après mon refus, la femme enceinte avait insisté sur un ton de plus en plus agressif ; l'homme âgé était venu me dire des phrases comme : cela ne vous coûte rien ; si vous nous rendez ce service aujourd'hui, demain ce sera notre tour ; cependant tout cela ne dura que quelques minutes, je n'eus peut-être même pas le temps de dire clairement non une autre fois, je me contentai de quelques signes de la tête ; puis la question fut conclue par une brusque phrase du mari de Nina, des mots prononcés de loin mais bien fort ; il dit : ça suffit, nous sommes très bien comme ça, laissez la dame tranquille, et tout le monde se retira, jusqu'au garçon de plage qui finit par murmurer une phrase d'excuses et retourner à son poste.

Tant que je restai sur la plage, je fis semblant de lire. En réalité j'entendais le dialecte du clan comme s'il était amplifié, leurs cris, leurs rires, et cela m'empêchait de me concentrer. Ils fêtaient quelque chose, ils mangeaient, buvaient et chantaient, ils avaient l'air de croire que la plage leur appartenait ou que, en tout état de cause, nous avions seulement le devoir de nous féliciter de leur bonheur. Du barda qu'ils avaient débarqué de leur bateau ils sortirent de tout, pendant des heures : un déjeuner abondant, du vin, des gâteaux, des liqueurs. Plus personne ne lança le moindre regard dans ma direction, plus personne ne dit mot, même vaguement ironique, qui puisse me concerner. C'est seulement quand je me rhabillai et que je m'apprêtai à partir que la femme au gros ventre quitta le groupe et s'approcha de moi. Elle me tendit une petite assiette contenant une tranche de parfait couleur framboise.

« C'est mon anniversaire », dit-elle avec sérieux.

Je pris son gâteau même si ça ne me disait rien.

« Tous mes vœux. Ça vous fait quel âge ?

— Quarante-deux ans. »

Je regardai son ventre et son nombril gros comme un œil.

« Vous avez un beau ventre. »

Elle eut l'air très satisfait.

« C'est une fille. Je n'arrivais pas à avoir d'enfant, et maintenant ça y est.

— C'est pour quand ?

— Dans deux mois. Ma belle-sœur a eu la sienne tout de suite, moi j'ai dû attendre huit ans.

— Certaines choses arrivent quand elles doivent arriver. Merci et encore tous mes vœux. »

Je voulus lui rendre la petite assiette après deux bouchées, mais elle n'y prêta pas attention.

« Et vous, vous avez des enfants ?

— Deux filles.

— Vous les avez eues tout de suite ?

— Quand j'ai eu la première, j'avais vingt-trois ans.

— Elles sont grandes ?

— L'une a vingt-quatre ans, l'autre vingt-deux.

— Vous faites plus jeune. Ma belle-sœur dit que vous n'avez sûrement pas plus de quarante ans.

— J'en ai bientôt quarante-huit.

— Vous avez bien de la chance d'être toujours aussi belle. Comment vous appelez-vous ?

— Leda.

— Neda ?

— Leda.

— Moi je m'appelle Rosaria. »

Je lui tendis la petite assiette d'un geste plus décidé et elle la prit.

« J'étais un peu nerveuse, tout à l'heure, me justifiai-je à contrecœur.

— La mer ne fait pas forcément du bien. Mais peut-être que vos filles vous donnent du souci ?

— Les enfants donnent toujours du souci. »

Nous nous saluâmes, je me rendis compte que Nina nous regardait. Contrariée, je retraversai la pinède : maintenant je me sentais en tort. Qu'est-ce que ça m'aurait coûté de changer de parasol, les autres l'avaient bien fait, même les Hollandais, pourquoi pas moi ? Un sentiment de supériorité, de la présomption. La réaction de défense de celle pour qui le repos est intelligent, la tendance de la personne cultivée à donner des leçons de savoir-vivre. Stupidités. J'avais prêté tant d'attention à Nina uniquement parce que je la sentais physiquement plus proche, tandis que Rosaria, qui était laide et sans prétention, je ne lui avais pas adressé un regard. Combien de fois on avait dû l'appeler par son nom, et moi je ne l'avais pas remarquée. Je l'avais laissée hors de mon champ de vision sans m'y intéresser, comme l'image anonyme d'une femme qui porte sa maternité de façon rustre. Voilà comment j'étais, superficielle. Et puis il y avait cette phrase : les enfants donnent toujours du souci. Adressée à une femme sur le point d'en mettre un au monde : quelle imbécillité. Toujours des mots de mépris, sceptiques ou ironiques. Bianca m'avait crié une fois, en pleurant : tu te crois toujours la meilleure ; et Marta : pourquoi tu nous as fait naître si tu ne fais que te plaindre de nous ? Des bribes de mots, juste des syllabes. Il y a toujours un moment où les enfants nous disent avec une colère malheureuse : pourquoi tu m'as mis au monde ? Je marchais absorbée dans mes pensées. La pinède avait des nuances violettes, il y avait du vent. J'entendis des craquements derrière moi, peut-être des pas, je me retournai, silence.

Je recommençai à marcher. Je reçus un coup violent dans le dos, comme si on m'avait lancé une boule de billard. Je criai à la fois de douleur et de surprise, je me retournai le souffle coupé, je vis la pomme de pin qui roulait dans le maquis, grosse comme le poing, fermée. Maintenant mon cœur battait fort, je me frottai le dos avec vigueur pour en chasser la douleur. Je n'arrivais pas à retrouver mon souffle ; je regardai les buissons autour de moi, les pins au-dessus de ma tête, que le vent agitait.

8

Une fois à la maison je me déshabillai et m'examinai dans le miroir. J'avais entre les omoplates une tache livide qui ressemblait à une bouche, avec un pourtour sombre et un milieu rougeâtre. J'essayai de l'atteindre avec mes doigts : cela me faisait mal. Quand j'examinai ma chemise, j'y trouvai des traces poisseuses de résine.

Pour me calmer je décidai d'aller au village, de me promener, de dîner dehors. Comment le coup était-il arrivé ? Je fouillai dans ma mémoire, mais sans grand résultat. Je n'arrivai pas à décider si la pomme de pin m'avait été lancée dessus exprès depuis quelque buisson ou bien si elle était tombée d'un arbre. Un coup imprévu, en fin de compte, ne cause que surprise et souffrance. Quand j'imaginais le ciel et les pins, je voyais la pigne tomber de là-haut ; si je pensais au sous-bois et aux buissons, c'était une ligne horizontale tracée par le projectile, la pigne qui fendait l'air jusqu'à mon dos.

Dans les rues il y avait la foule du samedi soir,

des personnes brûlées par le soleil, des familles entières, des femmes qui poussaient des landaus, des pères las ou furibonds, des couples de jeunes gens enlacés ou de personnes âgées qui se tenaient par la main. L'odeur de crème solaire se mélangeait à celle de barbe à papa et d'amandes grillées. La douleur m'empêchait de penser à autre chose qu'à ce qui m'était arrivé, comme si j'avais un tison ardent planté entre mes omoplates.

Je ressentis le besoin de téléphoner à mes filles et de leur raconter l'incident. Marta répondit : elle commença à parler comme elle en avait l'habitude, sans s'arrêter et avec beaucoup d'emphase. J'eus l'impression qu'elle craignait encore plus que d'habitude que je ne l'interrompe par une question insidieuse, un reproche ou simplement en passant de son ton exagérément allegro-sceptique à un ton sérieux qui l'obligerait à de vraies questions et de vraies réponses. Elle me parla longuement d'une soirée où sa sœur et elle étaient obligées d'aller mais je ne comprenais pas bien quand, le soir même ou le lendemain. Leur père y tenait, il y avait des amis à lui, pas seulement des collègues de l'université mais des gens qui travaillaient à la télévision, des personnes importantes qu'il voulait impressionner en leur montrant qu'à même pas cinquante ans il avait déjà deux filles adultes, bien élevées et belles. Elle parla encore et encore, à un certain moment elle s'en prit au climat. Le Canada est un pays inhabitable, s'exclama-t-elle, l'hiver comme l'été. Elle ne me demanda rien, même pas comment j'allais, ou peut-être me le demandat-elle sans me laisser le temps de répondre. Il est aussi probable qu'elle ne nommât jamais son père, c'est moi qui l'entendis entre les lignes. Dans les conversations avec mes filles j'entends des phrases et des mots silencieux. Parfois elles se mettent en colère, elles me disent : maman, je n'ai jamais dit ça, c'est toi qui le dis, tu l'as inventé. Mais je n'invente rien, il suffit d'écouter, le non-dit est plus éloquent que ce qui est dit. Ce soir-là, pendant que Marta divaguait et lançait ses rafales de mots, j'imaginai pendant un instant qu'elle n'était pas encore née, qu'elle n'était jamais sortie de mon ventre, qu'elle était dans le ventre d'une autre, de Rosaria, par exemple, et qu'elle naîtrait avec un autre corps et d'autres manières de réagir. C'était peut-être ce qu'elle désirait en secret depuis toujours, ne pas être ma fille. Elle racontait sa vie de manière névrotique, depuis un continent lointain. Elle parlait de ses cheveux, qu'elle devait laver sans arrêt parce qu'ils n'étaient jamais beaux, du coiffeur qui les lui avait massacrés, et par conséquent de la soirée à laquelle elle n'irait pas, elle ne pourrait jamais sortir attifée de cette façon, Bianca irait toute seule, elle avait des cheveux splendides, et elle me parlait comme si c'était ma faute, je ne l'avais pas faite de telle sorte qu'elle puisse être heureuse. De vieilles remontrances. Je la sentais frivole, oui, frivole et ennuyeuse, située dans un espace trop éloigné de cet autre espace près de la mer, le soir, et je la perdis. Tandis qu'elle continuait à se plaindre, j'ouvris grands les yeux sur ma douleur au dos et je vis Rosaria, grosse, fatiguée, qui me suivait à travers la pinède accompagnée du gang d'adolescents de sa famille ; elle se cachait, son large ventre nu appuyé comme une coupole sur ses cuisses épaisses, et elle m'indiquait comme cible. Quand je coupai la communication, je regrettais d'avoir appelé : j'étais plus agitée qu'avant, mon cœur battait fort.

Je voulais dîner mais les restaurants étaient bondés, je déteste être une femme seule dans un restaurant le samedi. Je décidai de prendre quelque chose au bar en bas de chez moi. Je m'y rendis à pas lents et regardai à travers la vitre : on entendait voler les mouches. Je pris deux croquettes de pomme de terre, un *arancino* et une bière. Tandis que je consommais mon repas du bout des lèvres, j'entendis derrière mon dos des vieillards qui chuchotaient en dialecte : ils jouaient aux cartes et ricanaient, je les avais juste entrevus du coin de l'œil quand j'étais entrée. Je me retournai. À la table des joueurs il y avait Giovanni, l'homme à tout faire qui m'avait accueillie à mon arrivée et qu'ensuite je n'avais plus revu.

Il abandonna ses cartes sur la table et me rejoignit au comptoir. Il me fit vaguement la conversation, me demanda comment j'allais, si je m'étais habituée, comment je trouvais l'appartement – du bavardage. Mais il me parla tout du long en me souriant d'un air complice, même s'il n'avait pas vraiment de raison pour sourire ainsi : nous ne nous étions rencontrés qu'une fois, pendant quelques minutes, et on ne voyait pas en quoi nous pouvions être complices. Il parlait à voix très basse et à chaque mot il avançait de quelques centimètres vers moi ; par deux fois il me toucha le bras du bout des doigts ; à un moment il posa sa main pleine de taches sombres sur mon épaule. Quand il me demanda s'il pouvait m'être utile, ce fut presque en me parlant à l'oreille. Je m'aperçus que ses compagnons de jeu nous fixaient en silence et je me sentis gênée. Ils avaient tous le même âge que lui, soixante-dix ans environ, on aurait dit les spectateurs d'une pièce de théâtre et ils avaient l'air d'assister, incrédules, à une scène stupéfiante. Quand j'eus fini mon dîner, Giovanni fit signe au barman, un geste qui voulait dire « c'est pour moi », et il n'y eut pas moyen de payer. Je remerciai, sortis à la hâte, et c'est seulement quand je franchis le seuil et entendis les rires rauques des joueurs que je compris que cet homme devait s'être vanté d'une quelconque intimité avec moi, l'étrangère, ce qu'il avait essayé de prouver en imitant à l'adresse de ses congénères des comportements de mâle propriétaire.

J'aurais dû me mettre en colère mais, au contraire, je me sentis soudain mieux. L'idée me vint de retourner au bar, de m'asseoir à côté de Giovanni et de l'encourager avec ostentation dans sa partie de cartes, exactement comme l'aurait fait une poupée blonde dans un film de gangsters. Après tout, de quoi s'agissait-il : un vieillard tout sec, encore bon pied bon œil, qui a simplement la peau tachée et striée de rides profondes, l'iris jaunâtre et un léger voile sur les pupilles. Il avait joué un rôle, moi aussi j'en jouerais un. Je lui parlerais à l'oreille, je frotterais mon sein contre son bras, je mettrais mon menton sur son épaule en scrutant ses cartes. Il m'en serait reconnaissant pour le restant de ses jours.

Mais au lieu de cela je rentrai chez moi et j'attendis que le sommeil me gagne, installée sur la terrasse et traversée par la lumière du phare.

9

Je ne pus fermer l'œil de la nuit. Mon inflammation dans le dos m'élançait ; de tout le village me parvinrent, jusqu'à l'aube, de la musique à plein volume, des bruits d'automobiles, des appels et des au revoir.

Je restai couchée mais j'étais agitée, je ressentais une impression croissante de désagrégation : Bianca et Marta, mes difficultés au travail, Nina, Elena, Rosaria, mes parents, le mari de Nina, les livres que je lisais, Gianni, mon ex-mari. À l'aube, le silence se fit soudain et je m'endormis quelques heures.

Je me réveillai à onze heures, rassemblai mes affaires en vitesse et montai en voiture. Mais c'était dimanche, et un dimanche très chaud : je trouvai beaucoup de circulation, eus du mal à garer la voiture et finis dans une cohue pire que celle de la veille, un flux de jeunes, de vieux et d'enfants chargés de sacs qui encombraient le sentier de la pinède et poussaient pour s'accaparer le plus vite possible un petit morceau de plage et de mer.

Pris par le flux constant de baigneurs, Gino s'occupa peu de moi, il me fit seulement un signe de bienvenue. Une fois en maillot de bain, je m'allongeai rapidement à l'ombre, sur le dos afin de cacher mon bleu, et je mis mes lunettes de soleil : j'avais mal à la tête.

La plage était bondée. Je cherchai du regard Rosaria mais ne la vis pas, le clan semblait dispersé, il se fondait dans la foule. C'est seulement en regardant avec attention que je parvins à distinguer Nina et son mari qui se promenaient le long de la rive.

Elle portait un maillot deux pièces de couleur bleue, elle me parut à nouveau très belle et elle se déplaçait avec son habituelle élégance naturelle, même si à ce moment-là elle exprimait quelque chose avec fougue ; lui ne portait pas de tee-shirt, il était plus trapu que sa sœur Rosaria, tout blanc, sans même être rougi par le soleil, les mouvements mesurés, sur la poitrine velue une chaîne en or avec un crucifix, et – un trait que je trouvai repoussant – un gros ventre divisé en deux moitiés gonflées de chair par une cicatrice profonde qui allait du bord du maillot à l'arc des côtes.

Je m'étonnai de l'absence d'Elena, c'était la première fois que je ne voyais pas la mère et la fille ensemble. Mais ensuite je m'aperçus que la petite fille était à deux pas de moi, seule, assise sur le sable au soleil, le nouveau chapeau de sa mère sur la tête, et qu'elle jouait avec sa poupée. Je remarquai que son œil était encore plus rouge et que, par moments, elle léchait le liquide qui lui coulait du nez avec la pointe de sa langue.

À qui ressemblait-elle ? Maintenant que j'avais aussi vu son père, j'avais l'impression de pouvoir reconnaître en elle les traits de chacun de ses parents. On regarde un enfant et aussitôt commence le jeu des ressemblances, on a hâte de l'enfermer dans le cercle connu de sa famille. En fait il n'est que matière vivante, l'énième chair, fruit du hasard, le produit de longues chaînes d'organismes. Ingénierie – la nature est déjà ingénierie, même la culture est ingénierie, la science suit le mouvement, seul le chaos n'est pas ingénieur – ainsi que nécessité furibonde de la reproduction. Bianca, je l'avais voulue, un enfant, on le veut avec une opacité animale que renforcent les croyances courantes. Elle était venue tout de suite, j'avais vingt-trois ans, son père et moi étions au beau milieu d'un dur combat afin de continuer tous les deux à travailler à l'université. Lui y parvint, moi pas. Un corps de femme fait mille choses différentes, il peine, court, étudie, rêve, invente, s'échine, et en même temps les seins grossissent, les lèvres du sexe se gonflent, la chair pulse d'une vie ronde qui est la nôtre, c'est notre vie, et pourtant elle nous pousse ailleurs, elle se détache de nous tout en habitant notre ventre, joyeuse et lourde, aimée comme une impulsion vorace, et pourtant repoussante comme la piqûre d'un insecte venimeux dans une veine.

Notre vie veut devenir celle d'un autre. Bianca

fut expulsée, elle s'expulsa, mais – tous le croyaient autour de nous, et nous aussi nous le crûmes – elle ne pouvait pas grandir seule, c'était trop triste, il lui fallait un frère ou une sœur pour lui tenir compagnie. Voilà pourquoi, tout de suite après elle, obéissante, je programmai, oui, c'est vraiment le mot, je *programmai* que dans mon ventre Marta allait croître elle aussi.

Ainsi, à vingt-cinq ans, tout autre jeu était fini pour moi. Leur père parcourait le monde, saisissant une opportunité après l'autre. Il n'avait même pas le temps de bien voir ce qui avait été copié de son corps et ce qu'avait donné la reproduction. Il les regardait à peine, ses filles, mais il disait avec une vraie tendresse : elles te ressemblent tellement. Gianni est gentil, et nos filles l'aiment. Il ne s'est guère occupé d'elles, mais quand ce fut nécessaire, il fit tout ce qu'il pouvait, et aujourd'hui encore il fait tout ce qu'il peut. En général, il plaît aux enfants. S'il était ici, il ne resterait pas comme moi sur la chaise longue, mais il irait jouer avec Elena, il se sentirait en devoir de le faire.

Pas moi. Je regardais la petite fille, mais à la voir ainsi, seule et pourtant avec tous ses ancêtres contenus dans sa chair, j'éprouvais un sentiment semblable à de l'aversion, même si je ne savais pas ce qui me répugnait. La petite jouait avec sa poupée. Elle lui parlait, mais pas comme à un personnage tout déplumé, la tête mi-blonde et mi-chauve. Qui sait quelle apparence elle lui attribuait. Nani, lui disait-elle, Nanuccia, Nanicchia,

Nennella. C'était un jeu plein d'affection. Elle l'embrassait fort sur le visage, si fort que le plastique avait l'air de se gonfler lorsqu'elle lui soufflait dans la bouche tout son amour vaporeux, vibrant, tout l'amour dont elle était capable. Elle l'embrassait sur sa poitrine nue, sur son dos, son ventre, partout, la bouche ouverte, comme si elle allait la dévorer.

Je détournai les yeux : on n'observe pas les jeux des enfants. Mais ensuite je regardai à nouveau. Nani était une poupée laide, vieille, elle avait sur le visage et sur le corps des marques de stylo à bille. Toutefois dans ces moments-là elle dégageait une force vitale. Maintenant c'était elle qui embrassait Elena avec une frénésie croissante. Elle lui donnait des coups décidés sur les joues, elle posait ses lèvres de plastique sur les lèvres de l'enfant, elle embrassait sa poitrine menue et son ventre un peu gonflé, elle appuyait sa tête contre son petit maillot de bain vert. La petite fille s'aperçut que je la regardais. Elle me sourit, son regard étincelait, et de ses deux mains elle pressa fort, comme par défi, la tête de la poupée entre ses jambes. Les enfants font des jeux comme ça, on le sait, puis ils oublient. Je me levai. Le soleil brûlait, j'étais couverte de sueur. Il n'y avait pas un brin d'air, une brume grise se levait à l'horizon. J'allai me baigner.

Depuis la mer, flottant paresseusement au milieu de la foule du dimanche, je vis Nina et son mari qui continuaient à discuter. Elle se plaignait de quelque chose et il écoutait. Puis l'homme sembla las de bavarder, il lui dit quelque chose de net mais sans s'emporter, calmement. Il devait beaucoup l'aimer, me dis-je. Il la laissa au bord de l'eau et alla discuter avec ceux qui, la veille, étaient arrivés en bateau. À l'évidence c'étaient eux, l'objet du contentieux. C'était toujours comme ça, je le savais par expérience : d'abord la fête, les amis, les parents, tout le monde s'aime ; puis les disputes à force d'être les uns sur les autres, les vieux ressentiments surgissent. Nina ne supportait plus leurs invités et voilà que son mari les renvoyait. Peu après, les hommes, les femmes à la richesse vulgaire et les enfants obèses abandonnèrent en ordre épars les parasols du clan, ils chargèrent leurs affaires sur le bateau à moteur et le mari de Nina voulut lui-même les aider, peut-être pour accélérer leur départ. Ils s'en allèrent comme ils étaient venus, au milieu des embrassades et des effusions, mais aucun d'entre eux n'alla saluer Nina. De son côté elle s'éloigna le long du rivage, la tête basse, comme si elle ne supportait pas de les avoir devant les yeux ne serait-ce qu'une minute de plus.

Je nageai longuement pour laisser derrière moi la foule du dimanche. L'eau de mer me tonifia le dos, la douleur cessa ou du moins parut cesser. Je restai dans l'eau un long moment, jusqu'à ce que je voie mes phalanges toutes fripées et que je commence à trembler de froid. Quand elle se rendait compte que j'étais dans un état pareil, ma mère me tirait hors de l'eau en criant. Elle voyait que je claquais des dents et elle était encore plus furieuse, elle me secouait, elle me couvrait d'une serviette de la tête aux pieds et me frottait avec une énergie et une violence telles que je ne comprenais pas si c'était vraiment par inquiétude pour ma santé ou plutôt par une colère longtemps retenue et par férocité qu'elle m'écorchait la peau.

J'étendis mon drap de bain directement sur le sable brûlant et je m'allongeai. Comme j'aime le sable chaud après avoir eu le corps glacé par la mer ! Je regardai l'endroit où se tenait auparavant Elena. Il ne restait plus que sa poupée, mais dans une position pénible, les bras grands ouverts, les jambes écartées, allongée sur le dos mais la tête à demi ensevelie dans le sable. On voyait son nez, un œil, la moitié de son crâne. Je m'endormis sous l'effet de la température douce et d'une nuit sans sommeil.

10

Je dormis une, dix minutes. Quand je me réveillai, je me levai tout étourdie. Je vis que le ciel était devenu blanc, une chape de plomb brûlante. L'air était immobile, la foule avait augmenté, il y avait un brouhaha de musique et d'êtres humains. Parmi cette cohue dominicale, comme si elle m'appelait secrètement, la première personne qui me sauta aux yeux fut Nina.

Quelque chose n'allait pas. Elle se déplaçait lentement entre les parasols, confuse, en remuant les lèvres. Elle tourna la tête d'un côté, de l'autre, par à-coups, comme un oiseau sur le qui-vive. Elle dit Dieu sait quoi, d'où j'étais je ne pouvais pas l'entendre, puis elle partit en courant vers son mari, qui était installé sur une chaise longue sous leur parasol.

D'un bond l'homme fut debout et regarda autour de lui. Le vieux grincheux le tira par un bras, mais l'autre se libéra de sa prise ; Rosaria s'approcha de lui. Tous les membres de la famille, petits et grands, commencèrent à regarder autour d'eux comme s'ils ne formaient qu'un seul corps, puis ils bougèrent et s'éparpillèrent.

Ils se mirent à appeler : Elena, Lenuccia, Lena. À petits pas rapides, Rosaria se dirigea vers la mer comme si elle était pressée d'aller se baigner. Je regardai Nina. Elle faisait des mouvements insensés, se touchait le front, d'abord elle allait à droite, puis elle faisait brusquement demi-tour et partait vers la gauche. C'était comme si, du fond de ses entrailles, quelque chose lui drainait le sang du visage. Sa peau devint jaune, ses yeux, très mobiles, étaient fous d'angoisse. Elle ne trouvait pas sa fille, elle l'avait perdue.

Elle réapparaîtra, me dis-je, j'avais l'habitude de ces égarements. Ma mère disait que je n'arrêtais pas de me perdre, quand j'étais petite. Un moment et hop, je disparaissais, il fallait qu'elle coure à la direction pour demander que l'on me décrive au haut-parleur, que l'on me dise que je m'appelais comme ci et comme ça, et pendant ce temps elle allait m'attendre postée près de la caisse. Je ne me rappelais rien de mes disparitions, j'avais d'autres choses en mémoire. Moi je craignais que ce ne soit ma mère qui se perde, je vivais dans l'angoisse de ne plus réussir à la trouver. Par contre, je me rappelais très bien la fois où j'avais perdu Bianca. Je courais à travers la plage comme Nina en ce moment, mais je tenais dans mes bras Marta qui hurlait. Je ne savais pas quoi faire, j'étais seule avec les deux petites ; mon mari était à l'étranger, je ne connaissais personne.

Un enfant, c'est vraiment un gouffre d'angoisse. Ce qui m'avait marquée, c'est que je cherchais du regard partout, sauf vers la mer : je n'osais même pas regarder l'eau.

Je m'aperçus que Nina faisait la même chose. Elle scrutait dans tous les coins mais elle tournait désespérément le dos à la mer, et alors je fus saisie d'une émotion soudaine, j'eus envie de pleurer. À partir de ce moment-là je ne parvins plus à me tenir à l'écart, je trouvai insupportable que la foule de la plage ne prêtât aucune attention à la recherche frénétique des Napolitains. Il y a des élans qu'aucun graphique ne peut enregistrer, un mouvement est lumineux, l'autre est obscur. Eux qui semblaient tellement autonomes, tellement arrogants, ils me donnèrent le sentiment tout à coup d'être fragiles. J'admirai Rosaria, la seule qui observait la mer. Elle se déplaçait avec son gros ventre à petits pas rapides, le long du rivage. Alors je me levai, rejoignis Nina et lui effleurai le bras. Elle fit volte-face, se dressa comme un serpent et cria : tu l'as trouvée ? – elle me tutoya comme si on se connaissait alors qu'on ne s'était jamais adressé la parole.

« Elle a ton chapeau sur la tête, lui dis-je, on la trouvera, elle se voit facilement. »

Elle me regarda hésitante, puis elle acquiesça et courut dans la direction où son mari avait disparu. Elle courait comme une jeune athlète, elle semblait en compétition avec la bonne ou la mauvaise fortune.

Moi je me dirigeai dans la direction contraire, le long de la première rangée de parasols, à pas lents. J'avais l'impression d'être Elena, ou bien Bianca quand elle s'était perdue, mais peut-être était-ce moi-même, enfant, qui revenais de l'oubli. La petite fille qui se perd au milieu de la foule voit que tout est pareil autour d'elle et pourtant elle ne reconnaît plus rien. Il lui manque un point de repère, ce quelque chose qui auparavant rendait les baigneurs et les parasols reconnaissables. La petite fille croit être restée exactement où elle était et pourtant elle ne sait pas où elle est. La petite fille regarde autour d'elle, les yeux épouvantés, et elle voit que la mer est toujours la mer, la plage est toujours la plage, les gens sont toujours les gens, le vendeur de noix de coco fraîches est bien le vendeur de noix de coco. Pourtant tout et tous lui sont étrangers, et alors elle pleure. À l'adulte inconnu qui lui demande ce qu'elle a, pourquoi elle pleure, elle ne dit pas qu'elle s'est perdue, elle dit qu'elle ne trouve plus sa maman. Bianca pleurait quand on l'avait retrouvée, quand on me la rapporta. Moi aussi je pleurais, de bonheur, de soulagement, mais en même temps je criais de colère – comme ma mère – sous le poids écrasant de ma responsabilité, à cause de ce lien qui étrangle, et je frappais ma fille aînée de mon bras libre, je hurlais : tu me le paieras, Bianca, tu verras à la maison, tu ne dois plus jamais t'éloigner, plus jamais.

Je marchai un moment en cherchant parmi

les enfants seuls, en groupes ou dans les bras d'adultes. Je me sentais en ébullition, j'avais un peu la nausée, mais je savais être attentive. Je vis enfin le chapeau de paille : j'eus un coup au cœur. De loin on aurait pu le croire abandonné sur le sable, mais en dessous il y avait bien Elena. Elle était assise à un mètre de l'eau, les gens passaient à côté d'elle sans lui prêter attention, elle pleurait, dans un lent flux de larmes silencieuses. Elle ne me dit pas qu'elle avait perdu sa maman, elle me dit qu'elle avait perdu sa poupée. Elle était désespérée.

Je la pris dans mes bras et retournai vivement vers l'établissement balnéaire. Je croisai Rosaria qui me l'arracha presque avec une fureur enthousiaste : elle cria de joie et fit signe à sa belle-sœur. Nina nous vit, elle vit sa fille, elle accourut. Son mari aussi accourut, ainsi que tous les autres, des dunes, de l'établissement, du rivage. Tous les membres de la famille voulaient embrasser Elena, la serrer dans leurs bras et la toucher, même si elle continuait à se désespérer : ils voulaient tous savourer leur satisfaction du péril évité.

Moi je me retirai, je retournai sous mon parasol et commençai à rassembler mes affaires, même s'il n'était pas encore deux heures de l'après-midi. Je n'aimais pas entendre Elena continuer à pleurer. Je vis que le groupe lui faisait la fête, les femmes l'enlevèrent à sa mère et se la passèrent de main en main pour essayer de l'apaiser, mais sans succès : la petite fille était inconsolable.

Nina me rejoignit. Aussitôt après, Rosaria arriva elle aussi, elle avait l'air fière d'avoir été la première à établir un contact avec moi, dont l'intervention s'était révélée aussi décisive.

« Je voulais vous remercier, me dit Nina.

— Ça a été une sacrée frayeur.

— J'ai cru mourir.

— Ma fille s'est perdue un dimanche d'août, justement, il y a presque vingt ans, mais moi je ne voyais rien, l'angoisse rend aveugle. Dans ces cas-là les étrangers sont plus efficaces.

— Heureusement que vous étiez là, dit Rosaria, avec tout ce qui se passe. » Et puis évidemment son regard tomba sur mon dos, parce qu'elle s'exclama avec un mouvement d'horreur : « Mon Dieu, qu'est-ce que vous vous êtes fait là dans le dos ?

— C'est une pomme de pin, dans la pinède.

— Oh, vous êtes bien amochée ; vous ne vous êtes rien mis ? »

Elle voulut aller chercher une pommade, elle dit qu'elle faisait des miracles. Nina et moi restâmes seules, les cris de la petite nous parvenaient.

« Elle ne se calme pas », dis-je.

Nina sourit.

« C'est une sale journée : on l'a retrouvée, mais c'est sa poupée qu'on a perdue.

— Vous la retrouverez.

— J'espère bien. Sinon, qu'est-ce qu'on va devenir ? Elle va en faire une maladie. »

J'eus soudain une sensation de froid dans le

dos. Rosaria était arrivée en silence, par-derrière, et elle m'enduisait déjà le dos de sa crème.

« Ça va ?

— Bien, merci. »

Elle continua avec douceur et sollicitude. Quand elle eut terminé, j'enfilai ma robe par-dessus mon maillot de bain et pris mon sac.

« À demain », dis-je. J'avais hâte de m'en aller.

« Vous verrez que ce soir vous ne sentirez déjà plus rien.

— Bien. »

Je regardai encore un instant Elena se démener et se tordre dans les bras de son père, en invoquant tour à tour sa mère et sa poupée.

« Allons-y, dit Rosaria à sa belle-sœur, il faut qu'on retrouve sa poupée, je ne peux plus supporter ses braillements. »

Nina me salua d'un geste et fila vers sa fille. En revanche, Rosaria commença tout de suite à poser des questions à des enfants et à des parents, et à fouiller sans attendre leur permission dans les jouets amoncelés sous les parasols.

Je remontai à travers les dunes et entrai dans la pinède, mais de là aussi j'avais l'impression d'entendre les hurlements de la petite fille. J'étais troublée, je portai une main à la poitrine pour calmer mon cœur qui battait trop fort. La poupée, c'est moi qui l'avais prise, elle était dans mon sac.

11

En conduisant vers la maison je me calmai. Je découvris que je ne parvenais pas à me rappeler l'instant exact de ce geste que je jugeais maintenant presque burlesque, burlesque car privé de sens. Je me sentais dans la situation d'une personne qui fait une découverte, un peu effrayée, un peu amusée, et dit : regarde ce qui m'est arrivé !

J'avais dû avoir une de ces bouffées de tristesse qui me prenaient depuis que j'étais petite, sans raison apparente, à l'égard de personnes, d'animaux, de plantes ou d'objets. Cette explication me plut, il me sembla qu'elle faisait appel à quelque chose d'intrinsèquement noble. J'avais été prise d'une envie irréfléchie de porter secours, me dis-je. Nena, Nani, Nennella, quel que soit son nom. Je l'ai vue abandonnée dans le sable, défaite, le visage à demi enseveli comme si elle allait étouffer, et je l'ai prise. Une réaction enfantine, rien de spécial, décidément on ne grandit jamais vraiment. Je décidai de la lui rendre le lendemain. J'irai sur la plage très tôt, je l'enfouirai dans le sable à l'endroit précis où Elena l'avait abandonnée, je m'arrangerai pour qu'elle la retrouve elle-même. Je jouerai un peu avec la petite fille et puis je lui dirai : qu'est-ce qu'il y a ici ? Regarde, creusons. Je me sentis presque contente.

À la maison je retirai de mon sac les maillots, les serviettes et les crèmes, mais je laissai la poupée au fond pour être sûre, le lendemain, de ne pas l'oublier. Je pris une douche, lavai mes maillots et les mis à sécher. Je me préparai aussi une salade et la mangeai sur la terrasse en regardant la mer, l'écume qui entourait les langues de lave, la traînée de nuages noirs qui quittaient l'horizon. Et tout à coup j'eus le sentiment d'avoir fait quelque chose de mal – ce n'était pas intentionnel, mais c'était mal. Comme l'un de ces gestes que l'on fait pendant son sommeil, quand on se retourne dans le lit et qu'on fait tomber la lampe de chevet. Cela n'a rien à voir avec la tristesse, me dis-je, il ne s'agissait pas d'un sentiment généreux. Je me suis sentie comme une goutte qui glisse le long d'une feuille après la pluie, entraînée par un mouvement aussi limpide qu'inévitable. Maintenant je cherche à trouver des justifications, mais il n'y en a pas. Je suis troublée, mes mois de légèreté sont peut-être déjà finis, je crains que ne reviennent les pensées trop rapides, les images vertigineuses. La mer devient une bande violette, le vent se lève. Comme le temps est changeant ! La température est brusquement tombée. Elena est sans doute encore sur la plage en train de pleurer, Nina est désespérée,

Rosaria a retourné toute la plage millimètre par millimètre, le clan est certainement déjà en guerre contre tous les baigneurs. Une serviette en papier s'envola, je débarrassai et, pour la première fois depuis des mois, je me sentis seule. Je vis au loin, sur la mer, des rideaux de pluie noire tomber des nuages.

En quelques minutes le vent s'était renforcé, il gémissait longuement en se coulant contre mon immeuble et il poussait vers l'intérieur de l'appartement de la poussière, des feuilles sèches et des insectes morts. Je fermai la porte de la terrasse, pris mon sac et m'assis sur le petit divan devant la porte vitrée. Je n'arrivais pas à clarifier mes intentions. Je sortis la poupée et la retournai entre mes mains, perplexe. Pas de vêtements, qui sait où Elena les avait laissés. Elle était plus lourde que je ne l'imaginais, de l'eau avait dû rentrer à l'intérieur. Ses quelques cheveux blonds sortaient de son crâne en petites touffes éparses. Elle avait des joues trop gonflées, des yeux bleus stupides et de petites lèvres avec un trou sombre au milieu. Son buste était long, son ventre proéminent, entre ses jambes grosses et courtes on voyait à peine une ligne verticale qui se poursuivait sans interruption entre ses larges fesses.

J'aurais aimé l'habiller. L'idée me vint de lui acheter des vêtements, de faire une surprise à Elena, une sorte de dédommagement. Qu'est-ce qu'une poupée, pour une enfant ? J'en avais eu une qui avait de belles anglaises, je m'en occupais beaucoup, je ne l'avais jamais perdue. Elle s'appelait Mina, ma mère disait que c'était moi qui lui avais donné ce nom. Mina, Mammina. *Mammuccia* me vint à l'esprit, c'est un mot pour dire poupée que l'on n'utilise plus depuis longtemps. Jouer avec sa *mammuccia*. Ma mère ne s'était jamais beaucoup livrée aux jeux que j'essayais de faire avec son propre corps. Elle s'énervait tout de suite, elle n'aimait pas servir de poupée. Elle riait, s'esquivait, se mettait en colère. Cela l'agaçait que je la coiffe, lui mette des élastiques, lui lave le visage et les oreilles, la déshabille et la rhabille.

Pas moi. Adulte, je me suis efforcée de ne pas oublier la souffrance que j'avais éprouvée de ne pas pouvoir tripoter les cheveux, le visage et le corps de ma mère. Alors, patiemment, j'ai été la poupée de Bianca pendant ses premières années de vie. Elle me traînait sous la table de la cuisine, c'était notre cabane, elle me faisait allonger. J'étais épuisée, je me rappelle : Marta ne fermait pas l'œil de la nuit, elle dormait seulement un peu pendant la journée, et Bianca me tournait toujours autour, pleine d'attentes : elle ne voulait pas aller à la crèche, et quand j'arrivais à l'y laisser, elle tombait malade et me compliquait encore plus l'existence. Pourtant j'essayais de dominer mes nerfs, je voulais être une bonne mère. Je m'allongeais par terre, je me laissais soigner comme si j'étais malade. Bianca me donnait des médicaments, me lavait les dents et me coiffait. Parfois je m'endormais, mais comme elle était petite, elle ne savait pas utiliser le peigne et elle m'arrachait les cheveux, ce qui me réveillait en sursaut. Je sentais mes yeux pleurer de douleur.

J'étais dans une telle désolation, à cette époque. Je ne parvenais plus à travailler, je jouais sans joie et mon corps me semblait inanimé, privé de désirs. Quand Marta se mettait à hurler dans l'autre pièce, c'était presque une libération pour moi. Je me levais en interrompant avec rudesse les jeux de Bianca, mais je me sentais innocente : ce n'était pas moi qui échappais à ma fille, c'était la cadette qui m'arrachait à l'aînée. Je dois aller voir Marta, je reviens tout de suite, attends. Elle se mettait à pleurer.

C'est dans un moment où mon sentiment d'inadéquation était devenu absolu que j'ai décidé de donner Mina à Bianca : c'est un beau geste, pensai-je, et peut-être un moyen de calmer sa jalousie envers sa petite sœur. Alors j'ai repêché ma vieille poupée dans une boîte en carton et j'ai dit à Bianca : tu vois, elle s'appelle Mina, c'était la poupée de ta maman quand elle était petite, je te l'offre. Je croyais qu'elle l'aimerait, pour moi il était évident qu'elle allait se consacrer à elle comme dans ses jeux elle se consacrait à moi. Mais elle l'abandonna aussitôt : Mina ne lui plaisait pas. Elle lui préférait une vilaine poupée de chiffon aux cheveux de laine jaune, c'est son père qui la lui avait rapportée en cadeau, de retour de Dieu sait où. J'en fus vraiment vexée.

Un jour, Bianca jouait sur le balcon, un endroit

qui lui plaisait beaucoup. Je la laissais là dès le début du printemps, je n'avais pas le temps de la sortir, mais je voulais qu'elle prenne l'air et le soleil, même si de la rue provenaient le bruit de la circulation et une forte odeur de gaz d'échappement. Depuis des mois je ne parvenais pas à ouvrir un livre, j'étais exténuée et exaspérée, nous n'avions pas assez d'argent et je dormais très peu. Je découvris Bianca assise sur Mina comme si c'était un siège, occupée à jouer avec sa poupée. Aussitôt je lui dis de se lever, elle ne devait pas détruire un objet précieux de mon enfance, elle était vraiment très méchante et ingrate. Je lui dis exactement ça, ingrate, et je criai, je crois que je criai que j'avais eu tort de la lui offrir, c'était ma poupée à moi, je la reprenais.

Tout ce qu'on fait et tout ce qu'on dit aux enfants dans le secret des maisons ! Bianca avait déjà un caractère de glace, elle a toujours été ainsi, elle contenait ses angoisses et ses sentiments. Elle resta assise sur Mina et dit seulement, en détachant ses mots comme elle le fait aujourd'hui encore quand elle exprime ses volontés comme si c'était ses dernières : non, elle est à moi. Alors je la poussai méchamment, c'était une enfant de trois ans mais à ce moment-là elle était plus grande et plus forte que moi. Je lui arrachai Mina et finalement ses yeux se remplirent d'effroi. Je découvris qu'elle lui avait ôté tous ses vêtements, même ses chaussures et ses chaussettes, et elle l'avait coloriée au feutre des pieds à la tête. Un affront remédiable, mais qui me parut sans remède. Tout, pendant ces années-là, me paraissait sans remède ; j'étais moi-même sans remède. Je lançai la poupée par-dessus la rambarde du balcon.

Je la vis voler vers l'asphalte et éprouvai une joie cruelle. Tandis qu'elle plongeait, elle me sembla un être abject. Je restai appuyée à la rambarde pendant je ne sais combien de temps à regarder les voitures lui passer sur le corps et la massacrer. Puis je m'aperçus que Bianca aussi regardait, à genoux, le front contre les barreaux du balcon. Alors je la pris dans mes bras, elle se laissa faire sans résistance. Je l'embrassai longuement, la serrai contre moi comme si je voulais la reprendre dans mon corps. Tu me fais mal, maman, tu me fais mal. Je laissai la poupée d'Elena sur le divan, renversée sur le dos, le ventre à l'air.

L'orage s'était rapidement déplacé vers la terre ferme : il était très violent, de nombreux éclairs éblouissaient et des grondements de tonnerre explosaient comme des voitures bourrées de dynamite. Je courus fermer les fenêtres de la chambre à coucher avant qu'elle ne fût tout inondée, j'allumai la lampe de chevet. Je m'allongeai sur le lit, calai les oreillers contre la tête de lit et me mis à étudier avec ardeur, en remplissant des pages de notes.

Lire et écrire a toujours été ma façon de me calmer.

12

Je fus tirée de mon travail par une lumière rougeâtre : il ne pleuvait plus. Je pris un peu de temps pour me maquiller et m'habiller avec soin. Je voulais apparaître comme une femme pleine de dignité, bien comme il faut. Je sortis.

La promenade dominicale était moins dense et bruyante que celle du samedi, l'afflux extraordinaire du week-end touchait à sa fin. Je déambulai un moment sur le front de mer, puis me dirigeai vers un restaurant près du marché couvert. Je croisai Gino, il portait la tenue dans laquelle je le voyais toujours sur la plage – peut-être qu'il en revenait, justement. Il me fit un signe de salut respectueux et voulut me dépasser, mais comme je m'arrêtai, il fut lui aussi obligé de s'arrêter.

J'avais besoin d'écouter le son de ma voix, de la contrôler et de la confronter à la voix d'un autre. Je lui posai des questions sur l'orage, sur ce qui s'était passé à la plage. Il dit que le vent avait soufflé fort, c'était une tempête d'eau et de vent, et beaucoup de parasols avaient été arrachés. Les gens avaient couru se réfugier sur la plate-forme de l'établissement, dans le bar, mais il y avait trop de monde, la plupart avaient renoncé et la plage s'était vidée.

« Vous avez bien fait de partir tôt.

— J'aime les orages.

— Vos livres et vos cahiers auraient été abîmés.

— Ton livre a été mouillé ?

— Un peu.

— Qu'est-ce que tu étudies ?

— Le droit.

— Tu dois encore passer beaucoup d'examens ?

— Je suis en retard, j'ai perdu du temps. Vous enseignez à l'université ?

— Oui.

— Quoi ?

— Littérature anglaise.

— J'ai vu que vous connaissiez beaucoup de langues. »

Je ris.

« Je ne sais rien vraiment bien, moi aussi j'ai perdu du temps. À l'université je travaille douze heures par jour et je suis l'esclave de tout le monde. »

Nous nous promenâmes un moment, je me détendis. Je parlai de tout et de rien pour le mettre à l'aise, et en même temps je me voyais de l'extérieur, moi habillée en bonne bourgeoise, lui couvert de sable, en short, tee-shirt et claquettes de plage. Cela m'amusait et me flattait aussi un peu ; si Bianca et Marta m'avaient vue, elles se seraient bien moquées de moi.

71

Il avait certainement leur âge : un fils au corps fin et nerveux dont s'occuper. Ils étaient ainsi, les jeunes corps masculins qui m'avaient plu quand j'étais adolescente : grands, fins et très hâlés comme les copains de Marta, et non petits, blonds, un peu trapus et rondouillards comme les fiancés de Bianca, qui étaient légèrement plus âgés qu'elle, avec les veines et les yeux bleus. Pourtant je les ai tous aimés, les premiers fiancés de mes filles, et je les récompensais par une affection exagérée. Je voulais peut-être les féliciter parce qu'ils avaient reconnu leur beauté, leurs qualités, et ainsi ils les avaient arrachées à leur angoisse d'être laides et à leur certitude de ne pas avoir de pouvoir de séduction. Ou bien je voulais les récompenser parce que, de manière providentielle, ils m'avaient sauvée moi aussi de leur mauvaise humeur, des conflits, des lamentations et de mes efforts pour les apaiser : je suis moche, je suis grosse ; mais moi aussi je me sentais moche et grosse à votre âge ; non, toi tu n'étais pas moche et grosse, toi tu étais belle ; vous aussi vous êtes belles, vous n'avez même pas idée de la manière dont on vous regarde ; ce n'est pas nous qu'on regarde, c'est toi.

À qui étaient adressés les regards de désir ? Quand Bianca avait quinze ans et Marta treize, j'en avais moins de quarante. Leurs corps de petites filles s'adoucirent presque en même temps. Pendant quelque temps, je continuai de croire que les regards des hommes dans la rue m'étaient adressés, comme cela se produisait depuis vingt-cinq ans : j'avais désormais l'habitude de les recevoir, de les subir. Puis je me rendis compte qu'ils glissaient horriblement sur moi pour s'arrêter sur elles ; je m'alarmai, j'en fus flattée, et enfin je me dis avec une ironie mélancolique : cela annonce la fin d'une époque.

Néanmoins, je commençai à m'occuper plus de moi, comme si je voulais retenir le corps auquel j'étais habituée et éviter qu'il ne disparaisse. Quand les amis de mes deux filles venaient à la maison, je soignais mon apparence pour les recevoir. Je ne les voyais pas longtemps, quand ils entraient et quand ils partaient en me saluant tout gênés, et pourtant je demeurais très attentive à mon allure et à mes manières. Bianca les entraînait dans sa chambre, Marta dans la sienne, et je restais seule. Je voulais que mes filles soient aimées, je ne pouvais pas supporter qu'elles ne le soient pas et j'étais épouvantée à l'idée de leurs possibles malheurs ; mais les bouffées de sensualité qui émanaient d'elles étaient violentes, voraces, et je sentais que la force d'attraction de leurs corps échappait pour ainsi dire au mien. C'est pour cela que j'étais contente quand elles me disaient en riant que leurs petits copains avaient trouvé que j'étais une mère jeune et attirante. Pendant quelques minutes, j'avais l'illusion que nos trois organismes avaient atteint un accord agréable.

Une fois, j'ai traité avec une frivolité peut-être excessive un ami de Bianca, un garçon de quinze ans presque muet, le regard torve et l'air toujours sale et tourmenté. Quand il est parti, j'ai appelé ma fille, elle s'est présentée à la porte de ma chambre suivie de Marta, curieuse :

« Ton ami a aimé le gâteau ?

— Oui.

— J'aurais dû faire aussi un glaçage au chocolat mais je n'ai pas eu le temps, ce sera pour la prochaine fois.

— Il a demandé si la prochaine fois tu lui taillerais une pipe.

— Bianca, comment tu parles !

— C'est ce qu'il a dit.

— Il n'a pas dit ça !

— Si, c'est ce qu'il a dit. »

Je cédai petit à petit. J'appris à être présente seulement si elles voulaient que je le sois, et à prendre la parole seulement si elles me demandaient de parler. C'était ce qu'elles exigeaient de moi et je le leur ai donné. Ce que je voulais d'elles, moi je ne l'ai jamais compris, même aujourd'hui je ne le sais pas.

Je regardai Gino et me dis : je vais lui demander s'il veut me tenir compagnie à dîner. Je me dis aussi : il va inventer une excuse, il va refuser, tant pis. Mais il répondit seulement, avec timidité :

« Il faudrait que je prenne une douche, que je me mette quelque chose.

— Ça va très bien comme ça.

— Je n'ai même pas mon portefeuille.

— C'est moi qui invite. »

Gino s'efforça d'alimenter la conversation pendant toute la durée du repas, il essaya même de me faire rire, mais nous avions peu, voire rien en commun. Il savait qu'il devait me divertir entre deux bouchées, il savait qu'il devait éviter les silences prolongés et il fit de son mieux, se lançant sur les pistes les plus variées tel un animal égaré.

Sur lui-même il n'avait presque rien à dire, il chercha plutôt à me faire parler. Il me posait des questions brèves et je lisais dans son regard qu'il ne s'intéressait pas réellement à mes réponses. Tout en essayant de lui venir en aide, je ne réussissais pas à éviter que les sujets de conversation ne s'épuisent rapidement.

Il s'intéressa d'abord à ce que j'étudiais, je répondis que je préparais mon cours pour l'année prochaine.

« Sur quoi ?

— *Olivia*.

— Qu'est-ce que c'est ?

— Un récit.

— C'est long ? »

Il aimait les examens brefs, il en voulait beaucoup aux professeurs qui surchargent les étudiants de livres à lire juste pour montrer que leur examen est important. Il avait de grandes dents très blanches et une large bouche. Ses yeux étaient petits, presque des fissures. Il gesticulait beaucoup, il riait. Il ne savait rien d'*Olivia*, rien de ce qui me passionnait. Comme mes filles, qui en grandissant s'étaient prudemment tenues loin de

75

mes centres d'intérêt : elles avaient fait des études scientifiques, de la physique, comme leur père.

Je parlai un peu d'elles, j'en dis le plus grand bien mais d'un ton ironique. Enfin, nous nous repliâmes progressivement sur le peu de chose que nous ayons en commun : la plage, l'établissement balnéaire, son employeur, les baigneurs. Il me parla des étrangers, presque toujours gentils, et des Italiens, prétentieux et arrogants. Il me parla avec sympathie des Africains, des Chinoises qui allaient de parasol en parasol. Mais c'est seulement quand il commença à évoquer Nina et sa famille que je compris que j'étais là, dans ce restaurant avec lui, surtout pour ça.

Il revint sur la poupée et le désespoir de la fillette.

« Après l'orage j'ai regardé partout, je ratissais encore le sable il y a une heure, mais je ne l'ai pas trouvée.

— Elle réapparaîtra.

— Je l'espère surtout pour la mère, ils s'en sont pris à elle comme si c'était sa faute. »

Il fit allusion à Nina avec admiration.

« Elle vient en vacances ici depuis la naissance de sa fille. Son mari loue une villa sur les dunes. De la plage on ne voit pas leur maison. Elle est dans la pinède, c'est un bel endroit. »

Il dit que c'était vraiment une fille bien, elle avait été au lycée et même un peu à l'université.

« Elle est très jolie, dis-je.

— Oui, elle est belle. »

Je compris qu'ils avaient eu l'occasion de bavarder, et elle lui avait dit qu'elle voulait reprendre ses études.

« Elle a juste un an de plus que moi.

— Vingt-cinq ?

— Vingt-trois, moi j'en ai vingt-deux.

— Comme ma fille Marta. »

Il resta silencieux un moment puis il dit soudain, avec un regard sombre qui l'enlaidit :

« Vous avez vu son mari ? Est-ce que vous auriez laissé votre fille épouser un type pareil ? »

Je demandai, ironique :

« Qu'est-ce qui ne va pas chez son mari ? »

Il secoua la tête et dit, sérieux :

« Rien ne va. Lui-même, ses amis, sa famille. Sa sœur est insupportable.

— Rosaria, la dame enceinte ?

— Une dame, celle-là ? Laissez tomber, ça vaut mieux. Je vous ai beaucoup admirée, hier, quand vous n'avez pas changé de parasol. Mais ne faites plus des choses comme ça.

— Pourquoi ? »

Le garçon haussa les épaules et secoua la tête, mécontent.

« Ce ne sont pas de braves gens. »

13

Je rentrai à la maison vers minuit. Nous avions enfin trouvé un sujet de conversation qui nous intéressait tous les deux et le temps était passé vite. Je sus par Gino que la femme grosse et grise était la mère de Nina. J'appris aussi que le vieux grincheux s'appelait Corrado et que ce n'était pas le père de la jeune femme, mais le mari de Rosaria. Ce fut comme discuter d'un film qu'on a vu sans bien comprendre les rapports entre les personnages, pas même leurs noms parfois, et quand nous nous quittâmes, j'eus l'impression d'avoir les idées plus claires. Il n'y a que sur le mari de Nina que je n'appris pas grand-chose, Gino dit qu'il s'appelait Toni, il venait le samedi et repartait le lundi matin. Je compris qu'il le détestait, il n'avait même pas envie d'en parler. Du reste moi non plus, je n'éprouvais pas beaucoup de curiosité envers cet homme.

Le jeune homme attendit comme il se doit que je referme la porte de l'immeuble derrière moi, puis je montai au troisième étage par l'escalier peu éclairé. Pas de braves gens, avait-il dit. Qu'est-ce qu'ils pouvaient bien me faire ? J'entrai dans l'appartement, allumai la lumière et vis à nouveau la poupée allongée sur le dos sur mon divan, les bras tendus vers le plafond, les jambes écartées et le visage tourné vers moi. Les Napolitains avaient retourné la plage pour la retrouver, Gino s'était acharné à fouiller le sable avec son râteau. J'errai dans l'appartement, on entendait seulement le ronflement du frigo dans la cuisine, même le village avait l'air plus calme. En me regardant dans la glace de la salle de bains, je découvris que j'avais les traits tirés et les yeux gonflés. Je choisis un tee-shirt propre et m'apprêtai pour la nuit, même si je n'avais pas sommeil.

La soirée avec Gino avait été plaisante, mais je sentis que quelque chose m'avait laissé une impression désagréable. J'ouvris grande la porte de la terrasse, un air frais arriva de la mer, le ciel était sans étoiles. Nina lui plaît, me dis-je, c'est facile à deviner. Et au lieu d'en être attendrie ou amusée, à cette idée mon mécontentement s'étendit à la jeune femme, comme si, en se montrant tous les jours sur la plage et en l'attirant, elle m'enlevait quelque chose.

Je poussai la poupée et m'allongeai sur le divan. Si Gino avait connu Bianca et Marta, me demandai-je presque par habitude, laquelle aurait-il préférée ? Depuis la prime adolescence de mes filles j'avais la manie de les comparer avec leurs congénères, leurs amies intimes et

leurs camarades de classe qui avaient la réputation d'être belles et avaient du succès. De manière
confuse, je les percevais comme rivales de mes
filles, comme si en brillant par leur aisance, leur
séduction, leur grâce et leur intelligence, elles
ôtaient quelque chose à mes filles et, de quelque
manière obscure, à moi aussi. Je me contrôlais
et employais un ton bienveillant, mais en fait
j'avais tendance à me démontrer à moi-même, en
silence, qu'elles étaient toutes moins belles ou, si
elles étaient belles, qu'elles étaient antipathiques
et vides, et j'énumérais leurs caprices, leurs bêtises
et les défauts provisoires de leurs corps encore en
pleine croissance. Parfois, quand je voyais Bianca
ou Marta souffrir parce qu'elles se trouvaient
ternes, je ne pouvais pas résister et je me mettais
à intervenir lourdement contre leurs amies trop
extraverties, trop captivantes et trop minaudières.

Marta avait eu, vers ses quatorze ans, une camarade de classe qui s'appelait Florinda. Florinda,
bien qu'elle eût le même âge qu'elle, n'était pas
une petite fille, elle était déjà femme, et très belle.
À chacun de ses gestes, à chacun de ses sourires,
je voyais qu'elle faisait de l'ombre à ma fille et
je souffrais à l'idée qu'elles allaient ensemble à
l'école, aux fêtes et en vacances ; j'étais sûre que
tant que ma fille resterait en sa compagnie, la vie
ne cesserait de lui échapper.

D'autre part, Marta tenait beaucoup à l'amitié
de Florinda, elle était fortement attirée par elle, et
les séparer me semblait une opération difficile et

risquée. Pendant un temps, j'essayai de la consoler de ses échecs permanents en ayant recours à des généralités, sans jamais nommer Florinda. Je lui disais sans arrêt : comme tu es belle, Marta, comme tu es douce, tu as des yeux tellement intelligents, tu ressembles à ta grand-mère qui était très belle. Des mots inutiles. Non seulement elle se trouvait moins attirante que son amie, mais aussi moins attirante que sa sœur, que toutes les filles, et quand elle m'entendait, elle était encore plus déprimée, elle disait que je parlais comme ça parce que j'étais sa mère, et parfois elle murmurait : je ne veux pas t'écouter, maman, tu ne me vois pas comme je suis, laisse-moi tranquille, occupe-toi de tes affaires.

À cette époque j'avais sans arrêt mal à l'estomac, c'était la tension liée à mon sentiment de culpabilité : j'étais persuadée que chaque problème de mes filles était dû à mon manque d'amour désormais éprouvé. Alors je devins bientôt plus pressante. Je lui disais : tu ressembles vraiment beaucoup à ma mère, et je lui donnais mon exemple, je lui racontais : quand j'avais ton âge, moi aussi j'étais convaincue d'être moche. Je pensais : ma mère est belle et pas moi. Marta me faisait comprendre, en multipliant les signes d'impatience, qu'elle avait hâte que je me taise.

À force de la consoler, je finis par me sentir moi-même de plus en plus inconsolable. Je me disais : qui sait comment la beauté se reproduit ? Je ne me rappelais que trop bien ma certitude, à l'âge de Marta, que ma mère, en me faisant, s'était débarrassée de moi comme quand on a un mouvement de répulsion et qu'on repousse d'un geste son assiette. Je soupçonnais qu'elle avait commencé à m'échapper dès qu'elle m'avait conçue, même si en grandissant tout le monde me répétait que je lui ressemblais. Certes, il y avait des ressemblances, mais trompeuses. Même lorsque j'ai découvert que je plaisais aux hommes, je ne me suis pas tranquillisée. Ma mère dégageait une puissante chaleur vitale, je me sentais au contraire aussi froide que si j'avais des veines en métal. Je voulais être comme elle, mais pas seulement dans l'image du miroir ou dans l'immobilité des photos. Je voulais aussi posséder sa capacité à se répandre et à se vaporiser à travers les rues, dans le métro, le funiculaire ou les magasins, sous les yeux d'inconnus. Aucun instrument ne sait capturer ce souffle magique. Même le ventre de la femme enceinte ne sait pas le reproduire avec précision.

Mais Florinda avait ce souffle. Un après-midi, Marta et elle sont rentrées de l'école alors qu'il pleuvait et je les ai vues passer dans le couloir et le séjour, leurs grosses chaussures aux pieds, souillant allègrement le sol d'eau et de boue, puis elles sont allées à la cuisine, se sont jetées sur les biscuits en s'amusant à se les arracher des mains et elles les ont grignotés à travers la maison en laissant des miettes partout ; alors j'ai éprouvé pour cette splendide adolescente si désinvolte une aversion irrépressible. Je lui ai dit : Florinda, chez toi tu te comportes comme ça, tu te prends pour qui ? Alors maintenant, ma chérie, tu balaies et tu laves toute la maison, tu ne sors pas d'ici avant d'avoir fini. La jeune fille a cru que je plaisantais, mais je lui ai donné le balai, le seau et la serpillière, et je devais avoir une expression horrible parce qu'elle a seulement murmuré : Marta aussi a sali, et Marta a essayé de dire : c'est vrai, maman, mais j'avais dû prononcer des mots durs et définitifs avec une telle fermeté que toutes deux se sont tues immédiatement. Florinda a nettoyé le sol avec un soin atterré.

Ma fille est restée là à regarder. Après elle s'est enfermée dans sa chambre et elle ne m'a pas parlé pendant des jours. Elle n'est pas comme Bianca : elle est fragile, elle se plie au premier changement de ton, elle se soumet sans combattre. Florinda disparut progressivement de sa vie, de temps en temps je lui demandais comment allait son amie, elle grommelait quelque chose de vague et répondait d'un haussement d'épaules.

Mais mes angoisses ne disparurent pas. J'observais mes filles quand elles étaient distraites, j'éprouvais pour elles une alternance compliquée de sympathie et d'antipathie. Bianca, pensais-je parfois, est antipathique, et j'en souffrais. Puis je découvrais qu'elle était très aimée, elle avait des amis garçons et filles, et je sentais qu'il n'y avait que moi, sa mère, qui la trouvais antipathique, et j'en avais du remords. Je n'aimais pas son petit rire dépréciatif. Je n'aimais pas sa manie de vouloir toujours plus que les autres : à table, par exemple, elle se servait toujours plus généreusement que les autres, pas pour manger toute la nourriture mais pour être sûre de ne rien laisser échapper, de ne pas être négligée ou bernée. Je n'aimais pas son mutisme buté quand elle comprenait qu'elle s'était trompée mais qu'elle ne parvenait pas à admettre son erreur.

Toi aussi tu es comme ça, me disait mon mari. C'était peut-être vrai, ce que je trouvais antipathique chez Bianca n'était que le reflet de l'antipathie que j'avais pour moi-même. Ou bien non, ce n'était pas si facile, tout était plus embrouillé. Même quand je reconnaissais chez mes deux filles ce que je considérais comme mes qualités, je sentais que quelque chose ne marchait pas. Selon moi, elles ne savaient pas en faire bon usage, ce qu'il y avait de meilleur en moi, une fois dans leurs corps, n'était qu'un faux départ, une parodie : je me mettais en colère et j'avais honte.

En réalité, à bien y réfléchir, j'aimais beaucoup chez mes filles ce qui venait d'ailleurs. Chez elles, je préférais les traits qu'elles tenaient de leur père, même après la fin tumultueuse de notre mariage. Ou ceux qui renvoyaient à des ancêtres dont j'ignorais tout. Ou ceux dont j'attribuais la paternité, dans la combinaison des organismes, à une brillante invention du hasard. Bref, je me sentais d'autant plus proche d'elles que je n'avais pas l'impression de porter la responsabilité de leurs corps.

Mais cette proximité inconnue était rare. Leurs

malaises, leurs douleurs et leurs conflits s'imposaient à nouveau, en permanence, et je me sentais amère, je me sentais coupable. J'étais toujours, d'une manière ou d'une autre, l'origine et l'aboutissement de leurs souffrances. Elles m'accusaient en silence ou à grands cris. Elles étaient mécontentes de la mauvaise répartition des ressemblances évidentes, mais aussi de la mauvaise répartition des ressemblances secrètes, celles dont on prend conscience plus tard – le souffle des corps, justement, le souffle qui étourdit comme un alcool fort. Les tonalités de la voix qui sont à peine perceptibles. Un petit geste, une manière de battre les paupières, un sourire-grimace. La démarche, l'épaule qui penche légèrement vers la gauche, une manière gracieuse de balancer les bras. L'impalpable enchaînement de mouvements infimes qui, associés d'une certaine façon, rendent Bianca séduisante et pas Marta, ou vice versa. Autant de causes d'orgueil et de douleur – ou bien de haine, parce que la puissance de la mère paraît toujours distribuée de manière injuste, dès le nid vivant du ventre.

Dès lors, d'après mes deux enfants, je me suis comportée avec cruauté. J'ai traité l'une comme une fille, et l'autre comme une belle-fille. J'ai donné à Bianca une poitrine généreuse alors que Marta ressemble à un garçon : elle ne sait pas qu'elle est très belle comme cela, elle met des soutiens-gorge rembourrés, une tromperie qui l'humilie. Je souffre de la voir souffrir. Quand j'étais jeune, j'avais beaucoup de poitrine, après sa naissance je n'en ai plus eu. Tu as donné le meilleur de toi à Bianca, répète-t-elle sans cesse, et à moi tu as donné ce que tu as de pire. Marta est ainsi, elle se défend en prétendant être flouée.

Mais pas Bianca, non : depuis qu'elle est petite, Bianca m'a toujours combattue. Elle a essayé de me soutirer le secret de gestes qui à ses yeux semblaient merveilleux, et de me montrer qu'à son tour elle en était capable. C'est elle qui m'a révélé que j'épluche les fruits en prenant grand soin que le couteau entaille la peau sans jamais la déchirer. Avant que son admiration ne me le fasse découvrir, je ne m'en étais jamais rendu compte – Dieu sait qui me l'a appris, peut-être est-ce seulement mon goût du travail ambitieux et obstinément précis. Fais un serpent, maman, me disait-elle, et elle insistait : épluche la pomme en faisant un serpent, s'il te plaît. *Haciendo serpentinas*, ai-je trouvé récemment dans une poésie de Maria Guerra que j'aime beaucoup. Bianca était fascinée par les serpentins, c'était un des multiples talents de magicienne qu'elle m'attribuait, maintenant je suis émue en y pensant.

Un matin, elle s'est fait une méchante blessure au doigt car elle voulait se prouver qu'elle pouvait faire un serpent elle aussi. Elle avait cinq ans et elle en fut aussitôt désespérée, du sang jaillit, ainsi que beaucoup de larmes de déception. Je pris peur, je criai que je ne pouvais pas la laisser seule un instant, que je n'avais jamais de temps

86

pour moi. À cette époque, j'avais l'impression de suffoquer et de me trahir moi-même. Je refusai pendant un long moment d'embrasser sa blessure, de lui donner le baiser qui fait passer la douleur. Je voulais lui apprendre que cela ne se faisait pas, c'est dangereux, il n'y a que maman qui peut le faire parce qu'elle est grande. Maman.

Pauvres êtres sortis de mon ventre, elles sont maintenant toutes seules à l'autre bout du monde. Je posai la poupée sur mes genoux pour qu'elle me tienne compagnie, en quelque sorte. Pourquoi l'avais-je prise ? Elle gardait en elle l'amour de Nina et d'Elena, leur lien, leur passion réciproque. C'était le témoin éclatant d'une maternité sereine. Je la pressai contre ma poitrine. Combien de choses gâchées, perdues, avais-je derrière moi, et pourtant elles étaient présentes maintenant, elles étaient là, dans un tourbillon d'images. Je compris clairement que je ne voulais pas rendre Nani, même si j'avais du remords et si j'avais peur de la garder avec moi. Je l'embrassai sur le visage, sur la bouche, je la serrai comme j'avais vu Elena le faire. Elle émit un gargouillis que je pris pour une phrase hostile et lança un jet de salive brune qui me salit le tee-shirt et les lèvres.

14

Je dormis sur le divan, la porte de la terrasse ouverte, et je me réveillai tard, fourbue et la tête lourde. Il était plus de dix heures, il pleuvait, un vent violent agitait la mer. Je cherchai la poupée mais ne la trouvai pas. L'angoisse me saisit, comme s'il était possible qu'elle se fût jetée de la terrasse pendant la nuit. Je regardai autour de moi, fouillai sous le divan, j'eus peur que quelqu'un ne soit entré chez moi et l'ait prise. Je la retrouvai dans la cuisine, assise sur la table, dans la pénombre. J'avais dû la poser là quand j'étais allée me rincer la bouche et nettoyer mon tee-shirt.

Pas de plage, il faisait mauvais temps. Mon projet de rendre Nani à Elena aujourd'hui m'apparut non seulement peu judicieux, mais impraticable. Je sortis prendre le petit déjeuner et m'acheter des journaux ainsi qu'à manger pour le déjeuner et le dîner.

Au village il y avait l'animation des jours sans soleil, les vacanciers faisaient des emplettes ou traînaient pour tuer le temps. Sur le front de mer je tombai sur un magasin de jouets et l'envie me reprit d'acheter des petits vêtements pour la poupée – de toute façon, au moins pour ce jour-là, j'allais la garder.

J'entrai comme par jeu et parlai avec la vendeuse, une jeune fille très serviable. Elle me dénicha une culotte, des chaussettes, des chaussures et une petite robe bleue qui me semblèrent de la bonne taille. J'étais sur le point de sortir et venais de mettre le paquet dans mon sac quand je me retrouvai presque nez à nez avec Corrado, le vieil homme à l'air mauvais, celui que j'avais pris pour le père de Nina et qui était en réalité le mari de Rosaria. Il était habillé avec grand soin : un costume bleu clair, une chemise blanche impeccable et une cravate jaune. Il n'eut pas l'air de me reconnaître, mais derrière lui surgit Rosaria, vêtue d'une salopette de femme enceinte vert délavé, qui me reconnut aussitôt et s'exclama :

« Madame Leda, comment allez-vous ? Tout va bien ? La pommade vous a fait du bien ? »

Je la remerciai à nouveau, lui dis que c'était passé, et je m'aperçus alors avec plaisir, je devrais dire avec émotion, que Nina arrivait elle aussi.

Cela fait un drôle d'effet, quand on rencontre en tenue de ville les personnes que l'on a l'habitude de voir à la plage. Corrado et Rosaria me parurent tendus, rigides, comme s'ils étaient en carton. Nina me fit l'impression d'un coquillage délicatement coloré qui tiendrait bien serré à l'intérieur son mollusque incolore et vigilant. Seule Elena avait l'air débraillé, elle s'agrippait au cou de sa mère et suçait son pouce. Bien qu'elle soit vêtue elle aussi d'une jolie robe blanche, il émanait d'elle une impression de désordre, elle devait avoir fait tomber de la glace au chocolat sur sa robe peu auparavant ; de même, le pouce coincé entre ses lèvres était recouvert d'un fil de salive poisseuse et marron.

Je regardai la petite fille avec un certain malaise. Sa tête reposait sur l'épaule de Nina et son nez coulait. Je sentis les vêtements de poupée peser dans mon sac comme s'ils étaient soudain plus lourds et je me dis : voilà l'occasion, je dirai que c'est moi qui ai Nani. Mais quelque chose se contracta violemment en moi et je demandai avec une feinte compassion :

« Comment ça va, ma petite, tu l'as retrouvée, ta poupée ? »

Elle eut comme un frémissement de colère, ôta le pouce de sa bouche et tenta de me frapper avec son poing. Je l'évitai ; rageuse, elle cacha son visage au creux du cou de sa mère.

« Elena, ça ne se fait pas, lui reprocha sa mère, nerveuse, dis-lui que nous retrouverons Nani demain, aujourd'hui on en achète une plus jolie. »

Mais l'enfant secoua la tête et Rosaria susurra : que la cervelle du voleur soit atteinte d'une horrible maladie ! Elle le dit comme si cet affront avait aussi rendu furibond l'être qui se trouvait au fond de son ventre, ce qui lui donnait le droit d'éprouver du ressentiment, un ressentiment encore plus fort que celui de Nina. Mais Corrado secoua la tête en signe de désapprobation. Ce sont des histoires de gosses, grommela-t-il : ils aiment un jouet, ils le prennent puis ils disent à leurs parents qu'ils l'ont trouvé par hasard. À le voir ainsi de près, cet homme ne me parut pas vieux du tout, et il n'était certainement pas aussi mauvais que je l'avais cru de loin.

« Les enfants Carruno ne sont pas des gosses », dit Rosaria. Et Nina lança, avec un accent beaucoup plus prononcé qu'à l'ordinaire :

« Ils l'ont fait exprès, c'est leur mère qui les a poussés pour me faire du mal.

— Tonino a téléphoné, ses enfants n'ont rien pris.

— Carruno ment.

— Même si c'est le cas, tu as tort de le dire, lui reprocha Corrado. Que devrait faire ton mari s'il t'entendait ? »

Nina, hargneuse, fixa l'asphalte. Rosaria secoua la tête et s'adressa à moi en quête de compréhension.

« Mon mari est trop gentil, vous n'avez pas idée des larmes qu'a pu verser cette pauvre enfant, elle en a eu la fièvre, nous sommes maudites. »

Je compris vaguement qu'ils avaient attribué la disparition de la poupée à ces Carruno, sans doute la famille du bateau. Pour eux, il était naturel de penser qu'ils avaient décidé de les faire souffrir en faisant souffrir la petite fille.

« La petite a du mal à respirer, elle mouche son petit nez, la pauvre », dit Rosaria à Elena, et en même temps elle demanda des kleenex mais sans parler, d'un geste impérieux de la main. Je commençai à ouvrir la fermeture éclair de mon sac, mais je m'arrêtai brusquement à moitié, j'eus peur qu'ils ne voient mes achats et me posent des questions. Son mari lui donna promptement l'un de ses mouchoirs, elle essuya le nez de l'enfant qui s'agita et donna des coups de pied. Je refis glisser ma fermeture éclair, vérifiai que mon sac était bien fermé et regardai avec appréhension la vendeuse. Des peurs stupides, je m'énervai contre moi-même. Je demandai à Nina :

« Elle a beaucoup de fièvre ?

— Non, pas beaucoup, répondit-elle, ce n'est rien. » Et, comme pour me prouver qu'Elena était en pleine forme, elle essaya de la reposer par terre, en souriant d'un air forcé.

La petite fille s'y refusa avec la plus grande énergie. Elle s'agrippait au cou de sa mère comme si elle était suspendue au-dessus du vide, hurlant, repoussant la terre au plus léger contact avec elle et donnant des coups de pied. Nina resta un moment dans une position inconfortable, pliée en avant, les mains sur les hanches de sa fille, la tirant pour s'en débarrasser mais faisant aussi attention à éviter ses coups de pied. Je sentis qu'elle balançait entre patience et agacement, compréhension et envie de se mettre à pleurer. Où était passée l'idylle à laquelle j'avais assisté sur la plage ? Je reconnus l'embarras de se retrouver dans une telle situation sous le regard d'étrangers. À l'évidence, elle essayait depuis des heures de calmer l'enfant sans y parvenir et elle se sentait épuisée. En sortant de chez elle, elle avait tenté de camoufler les fureurs de sa fille en lui mettant une belle robe et de belles chaussures. Elle-même avait enfilé une robe élégante d'une couleur lie-de-vin qui lui allait très bien, elle avait relevé ses cheveux et mis des boucles d'oreilles qui effleuraient sa mâchoire prononcée et oscillaient contre son long cou. Elle voulait réagir à l'abrutissement et se donner fière allure. Elle avait essayé de se voir dans la glace telle qu'elle était avant de mettre au monde cet organisme, avant de se condamner pour toujours à l'ajouter au sien. Mais à quoi bon.

Bientôt elle se mettra à hurler, me dis-je, bientôt elle lui donnera une claque, c'est comme ça qu'elle essaiera de rompre le lien. Mais le lien deviendra plus retors, il puisera sa force dans le remords et l'humiliation de s'être révélée en public une mère sans affection, ni sainte ni image pour magazine. Elena braille, pleure et contracte ses jambes de manière névrotique, comme si l'entrée du magasin de jouets était pleine de serpents. Un petit être fait d'une matière animée et privée de raison. L'enfant ne voulait pas rester debout, elle voulait rester dans les bras de sa mère. Elle était en alerte, elle pressentait que Nina était lasse : elle le percevait dans la manière dont Nina s'était préparée pour venir au village, dans l'odeur rebelle de sa jeunesse et sa beauté avide. C'est pour cela qu'elle se cramponnait à elle. La perte de sa poupée est une excuse, me dis-je. Elena craignait surtout que sa mère ne lui échappe.

Peut-être Nina s'en aperçut-elle aussi ou bien, plus simplement, peut-être renonça-t-elle à résister. Elle siffla dans un dialecte soudain grossier : ça suffit, et elle reprit sa fille dans ses bras d'un mouvement féroce : ça suffit, je ne veux plus t'entendre, tu as compris, je ne veux plus t'entendre, tu arrêtes ces caprices ; elle tira avec force le devant de la petite robe jusqu'aux genoux, un coup net qu'elle aurait voulu destiné au corps de l'enfant et non au vêtement. Puis elle se troubla, repassa à l'italien avec une moue de reproche adressée à elle-même, et me dit de manière forcée :

« Excusez-moi, je ne sais pas quoi faire, elle m'en fait tellement voir... Son père est parti et maintenant elle se défoule sur moi. »

Rosaria alors lui prit l'enfant des bras avec un soupir : viens avec tata, murmura-t-elle, émue. Cette fois, de manière incongrue, Elena n'offrit aucune résistance, céda tout de suite et jeta même ses bras autour de son cou. Une vengeance envers sa mère, ou bien la certitude que cet autre corps – qui n'avait pas de bébé mais qui en attendait un, or les enfants aiment beaucoup les êtres qui ne sont pas encore nés, et peu ou très peu ceux qui viennent de naître – était momentanément très accueillant : il la tiendrait entre ses grosses mamelles, la poserait sur son ventre comme sur un siège, la protégeant contre les éventuelles furies de sa mauvaise mère, qui n'avait pas su s'occuper de sa poupée et qui l'avait même perdue. Elle s'abandonna à Rosaria avec une démonstration d'affection exagérée, pour signaler avec perfidie : tata est mieux que toi, maman, tata est plus gentille, si tu me traites comme tu le fais, je me réfugierai pour toujours auprès d'elle et je ne voudrai plus de toi.

« Voilà, vas-y, comme ça je me repose un peu », dit Nina avec une grimace de déception, et elle avait un voile de sueur sur la lèvre supérieure ; puis elle me dit : « Parfois je n'y arrive vraiment plus.

— Je sais », dis-je pour indiquer que j'étais de son côté.

Mais Rosaria intervint et murmura en serrant l'enfant contre elle : ils nous en font voir de toutes les couleurs, et elle décocha des rafales de baisers sonores en murmurant à Elena, la voix mangée par la tendresse : ma jolie, ma jolie, ma jolie. Elle voulait déjà entrer dans notre club, celui des mères. Elle pensait avoir attendu trop longtemps, mais désormais elle savait tout de son rôle. Elle décida même de prouver aussitôt, surtout à mon intention, qu'elle savait calmer Elena mieux que sa belle-sœur. Alors, et voilà – elle la déposa par terre – comme une grande, fais voir à maman et à madame Leda que tu es une grande fille. Et la petite ne dit rien, elle resta debout près d'elle à sucer son pouce d'un air désespéré, tandis que Rosaria me demandait avec satisfaction : et vos filles, comment étaient-elles, quand elles étaient petites ? Elles étaient comme ce petit trésor ? Je fus alors saisie d'une forte pulsion : j'avais envie de la déconcerter, de la punir en la déstabilisant. Je dis :

« Je ne me rappelle pas grand-chose.

— Ce n'est pas possible ! On n'oublie rien de ses enfants. »

Je me tus un instant, puis dis tranquillement :

« Je suis partie. Je les ai abandonnées quand la plus grande avait six ans et la seconde quatre.

— Qu'est-ce que vous dites ? Et qui les a élevées ?

— Leur père.

— Et vous ne les avez plus revues ?

— Je les ai reprises trois ans plus tard.

— Quelle horreur – et pourquoi ? »

Je secouai la tête, je ne savais pas pourquoi.

« J'étais très fatiguée », dis-je.

Puis je m'adressai à Nina, qui me regardait à présent comme si elle ne m'avait jamais vue :

« Parfois il faut fuir pour ne pas mourir. »

Je lui souris et fis allusion à Elena :

« Ne lui achetez rien, laissez tomber, ça ne sert à rien. On retrouvera la poupée. Bonne journée. »

Je fis un signe au mari de Rosaria, qui me sembla avoir retrouvé son masque de méchant, et sortis du magasin.

15

Maintenant j'étais très en colère contre moi-même. Je ne parlais jamais de cette période de ma vie : je ne le faisais même pas avec mes sœurs, et même pas avec moi-même. Quand j'avais essayé d'y faire allusion devant Bianca et Marta, ensemble ou séparément, elles m'avaient écoutée dans un silence distrait, m'avaient dit qu'elles ne se souvenaient de rien et avaient tout de suite changé de sujet. Seul mon ex-mari, avant de partir travailler au Canada, l'avait parfois pris comme prétexte à ses remontrances et ses ressentiments ; mais c'était un homme intelligent et sensible, le recours à cette bassesse lui faisait honte et il passait vite à autre chose sans insister. Je comprenais d'autant moins pourquoi j'avais révélé cette histoire tellement personnelle à des étrangères, des personnes très éloignées de moi qui, par conséquent, ne pourraient jamais accepter mes raisons et qui certainement, en ce moment, médisaient de moi. Je ne le supportais pas, je n'arrivais pas à me le pardonner et je me sentais comme débusquée.

Je déambulai sur la place en essayant de me calmer, mais l'écho des phrases que j'avais prononcées, l'expression et les paroles de désapprobation de Rosaria et le mouvement des pupilles de Nina me l'interdirent et augmentèrent même ma rage convulsive. Je me disais en vain que ce n'était pas grave : qui étaient donc ces deux femmes ? Je n'aurai plus l'occasion de les revoir après ces vacances ! Je pris conscience que cet argument pouvait m'aider à replacer Rosaria dans une juste perspective, mais il ne me servait à rien pour Nina. Son regard s'était retiré de moi dans un sursaut, mais sans me perdre : il avait juste reculé, rapidement, comme s'il cherchait un point lointain, au fond des pupilles, d'où me regarder sans risque. Ce besoin urgent de distance m'avait blessée.

Je me promenai sans entrain entre des vendeurs de produits de toutes sortes, et en même temps je la voyais comme je l'avais parfois vue au cours de ces derniers jours : debout de dos, en train d'étaler de la crème solaire avec des mouvements lents et précis sur ses jambes jeunes, sur ses bras, ses épaules et enfin, grâce à une forte torsion, jusqu'au milieu du dos, aussi loin qu'elle puisse aller, au point que j'avais parfois eu envie de me lever et de lui dire : laisse, je vais le faire, je vais t'aider, comme je voulais le faire avec ma mère quand j'étais petite, ou comme je l'avais souvent fait avec mes filles. Tout à coup, je me rendis compte que, jour après jour, à mon insu, je l'avais entraînée de loin, avec des sentiments alternés et parfois opposés, dans quelque chose que je ne savais pas déchiffrer, mais qui m'était vivement personnel. C'est peut-être aussi pour cela que, maintenant, j'étais furieuse. D'instinct, j'avais utilisé contre Rosaria un moment trouble de ma vie, je l'avais fait pour la surprendre et même, dans un certain sens, pour l'effrayer : c'était une femme que je trouvais désagréable et perfide. Mais en réalité j'aurais voulu parler de tout cela seulement avec Nina, en une autre occasion, avec précaution, pour qu'elle me comprenne.

Il se remit bientôt à pleuvoir et je dus me réfugier dans le bâtiment du marché couvert, parmi des odeurs intenses de poisson, de basilic, d'origan et de poivrons. Là, ballottée par des adultes et des enfants qui arrivaient au pas de course en riant, trempés par la pluie, je commençai à me sentir mal. Les odeurs de marché me donnaient la nausée, j'avais de plus en plus chaud, je devenais écarlate, je suais, et la fraîcheur qui provenait par vagues du dehors et de la pluie gelait la sueur sur mon corps et me donnait le vertige. Je me fis une place près de l'entrée, j'étais tassée entre les gens qui regardaient l'eau tomber à verse et les enfants qui criaient, joyeusement affolés par les éclairs puis les coups de tonnerre. Je m'installai presque sur le seuil afin d'être atteinte seulement par les bourrasques d'air frais, et je tentai de contrôler ma nervosité.

Qu'est-ce que j'avais fait de si terrible, au fond ? C'est vrai, j'avais été, quelques années auparavant, une jeune femme perdue. Les espoirs de la jeunesse semblaient déjà tous partis en fumée, j'avais l'impression d'être précipitée vers ma mère, ma grand-mère et la série de femmes muettes et rageuses dont j'étais issue. Les occasions manquées. Mes ambitions étaient encore vives et elles étaient entretenues par mon corps jeune et mon imagination qui accumulait projet sur projet : mais je sentais que ma ferveur créatrice était de plus en plus coupée de la réalité des manigances universitaires et des éventuelles opportunités de carrière. J'étais recluse dans ma propre tête, sans possibilités d'être mise à l'épreuve, et j'étais exaspérée.

Il y avait eu quelques épisodes inquiétants, des gestes anormaux de découragement : pas seulement une pulsion destructrice tournée vers des symboles, mais quelque chose de plus. À présent, ces faits n'ont pas un « avant » et un « après », ils me reviennent à l'esprit dans un ordre toujours différent. Un après-midi d'hiver, par exemple, j'étudiais dans la cuisine : je travaillais depuis des mois à un essai que je ne parvenais pas à achever, si bref fût-il. Rien ne marchait, dans ma tête les hypothèses se multipliaient et je craignais que même le professeur qui m'avait encouragée à l'écrire ne m'aide plus à le publier et le refuse.

Marta jouait sous la table, à mes pieds ; Bianca était assise à côté de moi, elle faisait mine de lire et d'écrire en imitant mes gestes et mes mimiques. Je ne sais pas ce qui s'est passé. Peut-être qu'elle m'avait parlé et que je ne lui avais pas répondu ;

peut-être voulait-elle simplement comm
de ses jeux, qui étaient toujours un peu
en tout cas, à l'improviste, alors que j'etais uu
traite, je cherchais des mots qui ne me semblaient
jamais assez conséquents et appropriés, je sentis
une gifle me frapper l'oreille.

Le coup n'était pas violent, Bianca avait cinq
ans et ne pouvait pas me faire vraiment mal. Mais
je sursautai et éprouvai une vive douleur : c'était
comme si une ligne noire et tranchante avait inter-
rompu d'un coup net des pensées déjà mal contenues, et qui de toute façon étaient très éloignées
de la cuisine où nous étions, de la sauce tomate
pour le dîner qui gargouillait sur les fourneaux et
de l'horloge qui avançait en grignotant le maigre
laps de temps que je pouvais consacrer à mon
envie de recherche et d'invention, de consensus,
de rôle à jouer et d'argent à moi que je pourrais
dépenser. Je frappai l'enfant sans réfléchir, en un
éclair, sur la joue : pas fort, tout juste du bout
des doigts.

Ne recommence pas, lui dis-je d'un ton fausse-
ment didactique ; elle sourit et tenta de me frapper
à nouveau, elle était persuadée que l'on se mettait
enfin à jouer. Mais je la devançai et la frappai à
nouveau, un peu plus fort : ne t'y hasarde jamais
plus, Bianca, et elle rit d'une manière rauque,
cette fois, une légère perplexité dans le regard.
Et de nouveau je la frappai, toujours du bout
des doigts, encore et encore : on ne frappe pas
maman, il ne faut jamais le faire, et enfin elle

comprit que je ne jouais pas, et elle commença à pleurer de désespoir.

Je sens les larmes de l'enfant sous mes doigts et je continue à la frapper. Je le fais doucement, je contrôle mon geste, mais les intervalles sont de plus en plus courts, la main est décidée, il ne s'agit pas d'un quelconque geste éducatif mais de violence pure – retenue, mais pure. Allez, sors, lui dis-je sans hausser le ton, sors, maman doit travailler, et je la prends fermement par un bras, je la traîne dans le couloir, elle pleure, crie, mais tente encore de me frapper, alors je la laisse là et ferme la porte derrière moi, d'un geste décidé de la main : je ne veux plus te voir.

La porte était dotée d'une grande vitre de verre dépoli. Je ne sais pas ce qui se produisit, peut-être la poussai-je de façon trop énergique, en tout cas elle claqua bruyamment et la vitre explosa. Bianca apparut, les yeux grands ouverts, petite, de l'autre côté du rectangle vide : elle ne hurlait plus. Je la regardai abasourdie – à quoi pouvais-je donc en arriver ? – : je m'épouvantais moi-même. Elle restait immobile, elle était indemne, ses larmes continuaient à couler mais en silence. Je m'efforce de ne jamais penser à ce moment, à Marta qui me tirait par la jupe et à la petite fille dans le couloir qui me fixait au milieu des débris de verre – y penser me donne des sueurs froides et me coupe le souffle. Ici aussi, à l'entrée du marché, je suis en sueur, je suffoque et ne parviens pas à ralentir les battements de mon cœur.

16

Dès que la pluie faiblit, je me précipitai dehors en courant, me couvrant la tête avec mon sac. Je ne savais pas où aller, en aucun cas je ne voulais rentrer à la maison. Les vacances à la mer, qu'est-ce que c'est, quand il pleut : l'asphalte plein de flaques, les vêtements trop légers et les pieds trempés dans des chaussures qui ne protègent rien. À la fin, une petite pluie fine persista. Je m'apprêtai à traverser la rue mais je m'arrêtai. Je vis sur le trottoir d'en face Rosaria, Corrado et Nina, sa fille dans les bras, entièrement enveloppée dans un léger châle. Ils marchaient à pas vifs, ils venaient de quitter le magasin de jouets. Rosaria tenait par la taille, comme un fagot, une poupée neuve qui ressemblait à une véritable petite fille. Ils ne me virent pas, ou bien firent mine de ne pas me voir. Je suivis Nina du regard, espérant qu'elle se retourne.

Le soleil recommença à filtrer à travers de petites lacérations bleues, entre les nuages. Je regagnai ma voiture, mis le moteur en marche et me dirigeai vers la plage. Des flashs me traversaient la tête : des visages, des gestes mais aucun son. Ils apparaissaient et disparaissaient sans que j'aie le temps de rien fixer dans mon esprit. Je posai deux doigts sur ma poitrine pour ralentir la tachycardie ; je le fis comme si cela pouvait en même temps ralentir la voiture. J'avais l'impression d'aller trop vite, mais en réalité je ne dépassais pas le soixante. On est toujours étonné de la rapidité d'un malaise, et de la façon dont il croît. Nous étions à la plage : il y avait Gianni, mon mari, un de ses collègues qui s'appelait Matteo, et Lucilla, son épouse, une femme très cultivée. Je ne me rappelle plus ce qu'elle faisait dans la vie, je sais seulement qu'elle me mettait souvent en difficulté devant mes filles. En général elle était gentille, compréhensive ; elle ne me critiquait pas, elle n'était pas perfide. Mais elle ne savait pas résister à l'envie de séduire mes filles, de se faire aimer d'elles de manière exclusive, et de se prouver à elle-même qu'elle avait un cœur ingénu et pur – c'était ses mots – qui palpitait à l'unisson avec le leur.

Comme Rosaria. Dans ces domaines, les différences de culture et de classe comptent peu. Quand Matteo et Lucilla venaient chez nous, quand nous faisions une excursion quelque part, ou – c'était le cas cette fois-là –, quand nous partions en vacances ensemble, je vivais sous tension permanente, et mon malheur augmentait. Tandis que les deux hommes parlaient de leur travail, de football ou de je ne sais quoi, Lucilla ne bavardait jamais avec moi, je ne l'intéressais pas. En revanche elle jouait avec mes filles, monopolisait leur attention et inventait des jeux exprès pour elles, auxquels elle participait en prétendant avoir leur âge.

Je la voyais toujours tendue vers leur conquête. Elle ne cessait de se consacrer à mes filles que lorsqu'elles étaient totalement soumises et désireuses de passer non pas une heure ou deux, mais toute leur vie avec elle. Elle faisait l'enfant d'une manière qui m'agaçait. Je leur avais appris à ne pas prendre de voix stupides et à ne pas faire de grimaces, et voilà que Lucilla se mettait à faire toutes sortes de grimaces : elle était de ces femmes qui adoptent exprès la voix que les adultes attribuent aux enfants. Elle s'exprimait en minaudant et les incitait à faire de même, les entraînant dans une forme de régression d'abord verbale et puis, peu à peu, de tous leurs comportements. Alors qu'elles étaient habituées à l'autonomie, grâce à un travail fatigant et nécessaire que j'avais entrepris afin de conserver un peu de temps pour moi, quand Lucilla arrivait, tout volait en éclats en quelques minutes. Elle apparaissait et jouait aussitôt la mère sensible, fantaisiste, toujours joyeuse et toujours disponible : la mère gentille. Maudite soit-elle. Je conduisais sans éviter les nids-de-poule pleins de pluie, au contraire, je les visais exprès et soulevais de longues ailes d'eau.

Toute la colère d'alors me revenait à l'esprit.

Facile, pensais-je. Pendant une heure ou deux
– en promenade, en vacances, en visite – c'était
facile et agréable d'amuser les filles. Lucilla ne
s'inquiétait jamais de la suite. Elle anéantissait
mes règles et puis, une fois dévasté le territoire
qui m'appartenait, elle se retirait vers le sien,
s'occupait de son mari, courait vers son travail
et ses succès, dont elle ne faisait d'ailleurs que se
vanter sur un ton de fausse modestie. À la fin je
restais seule, en service permanent, moi, la mère
méchante. Je devais remettre en ordre toute la
maison, réimposer aux filles des comportements
qu'elles trouvaient maintenant intolérables. Tante
Lucilla l'a dit, tante Lucilla nous l'a laissé faire.
Maudite soit-elle, maudite soit-elle.

Quelquefois – mais c'était rare et cela ne durait
pas longtemps – je goûtais une petite et maigre
revanche. Il se pouvait, par exemple, que Lucilla
survienne au mauvais moment, quand les deux
petites sœurs étaient trop occupées par leurs jeux,
tellement occupées que les jeux de tante Lucilla
étaient ouvertement repoussés à plus tard, ou
bien, s'ils leur étaient imposés, ils les ennuyaient.
Elle faisait contre mauvaise fortune bon cœur,
mais dans son for intérieur elle en concevait de
l'amertume. Je sentais qu'elle était blessée comme
si elle était vraiment une camarade exclue de leurs
jeux et, je dois l'admettre, j'en étais contente mais
je ne savais pas en profiter – je n'ai jamais su
profiter d'un avantage. Je m'adoucissais aussitôt,
je craignais peut-être, au fond de moi, que son

affection pour mes filles n'en soit amoindrie et cela me peinait. Ainsi, tôt ou tard, je finissais par lui dire en guise de justification : c'est qu'elles sont habituées à jouer entre elles, elles ont leurs habitudes, peut-être qu'elles se suffisent un peu trop à elles-mêmes. Alors elle se reprenait, acquiesçait, et commençait peu à peu à me dire du mal de mes filles, à repérer leurs défauts et leurs problèmes. Bianca était trop égoïste, Marta trop fragile, l'une avait peu de fantaisie, l'autre en avait trop, la grande était dangereusement fermée sur elle-même et la petite capricieuse et gâtée. J'écoutais, ma petite revanche s'éloignait déjà. Je sentais que Lucilla se vengeait du refus des enfants en cherchant à m'avilir, comme si j'étais leur complice. Je recommençais à souffrir.

Le mal qu'elle m'infligea pendant cette période fut énorme. Qu'elle fasse son propre éloge en jouant, ou qu'elle s'aigrisse quand elle était repoussée, elle m'incita à croire que je m'étais trompée en tout, que j'étais trop pleine de moi-même et que je n'étais pas faite pour être mère. Par trois fois soit-elle maudite. C'est certainement ainsi que je dus me sentir, ce jour-là sur la plage. C'était un matin de juillet, Lucilla avait accaparé Bianca et éloigné Marta. Elle l'avait écartée de leurs jeux peut-être parce qu'elle était plus petite, peut-être parce qu'elle la jugeait plus stupide, peut-être parce qu'elle en retirait moins de satisfaction, je ne sais pas. En tout cas elle avait dû lui dire quelque chose qui l'avait fait pleurer et qui m'avait blessée. Je laissai la petite pleurnicher sous le parasol près de Gianni et Matteo, absorbés dans leurs bavardages ; je pris le drap de bain, l'étendis à quelques pas de la mer et m'allongeai exaspérée au soleil. Mais Marta me rejoignit, elle avait deux ans et demi ou trois ans, elle arriva en trottinant pour jouer et s'allongea couverte de sable sur mon ventre. Je déteste être salie par le sable, je déteste que l'on salisse mes affaires. Je criai à mon mari : viens tout de suite prendre la petite. Il accourut, il sentait que j'avais les nerfs à fleur de peau et craignait mes scènes car il pensait qu'elles étaient incontrôlables. Depuis un moment je ne distinguais plus les sphères privée et publique, il m'indifférait que les gens m'entendent et me jugent et j'éprouvais un puissant désir de représenter mes colères comme au théâtre. Prends-la, criai-je, je ne peux plus la supporter, et je ne sais pas pourquoi j'en avais après Marta, la pauvre petite : si Lucilla avait été méchante avec elle, j'aurais dû la protéger ; mais c'était comme si je croyais aux critiques de cette femme : elles me mettaient en colère et pourtant j'y croyais, j'étais convaincue que la petite était vraiment stupide et qu'elle se plaignait tout le temps, et je n'en pouvais plus.

Gianni la prit dans ses bras et me lança un regard qui signifiait : calme-toi. Je lui tournai le dos avec colère et allai plonger dans l'eau pour chasser le sable et la chaleur. Quand je revins de la mer, je vis qu'il jouait avec Bianca et Marta en compagnie de Lucilla. Il riait, Matteo s'approcha aussi, et Lucilla avait changé d'avis : elle avait décidé que maintenant on pouvait jouer avec Marta, elle avait décidé de me montrer qu'on pouvait très bien le faire.

Je vis que l'enfant souriait : elle reniflait, mais elle était vraiment heureuse. Une seconde, deux secondes. Je sentais que je couvais dans mon estomac une énergie destructrice ; par hasard, je me touchai une oreille. Je découvris qu'il me manquait une boucle d'oreille. Elles n'avaient pas de valeur, elles me plaisaient mais je n'y tenais pas. Pourtant je commençai à m'agiter, je criai à mon mari : j'ai perdu une boucle d'oreille, regarde sur le drap de bain – elle n'y était pas ; alors je criai plus fort : j'ai perdu une boucle d'oreille ; je fis irruption dans leurs jeux et dis à Marta : tu vois, tu m'as fait perdre une boucle d'oreille ; et je le lui dis avec haine, comme si elle était responsable d'un événement très grave pour moi et pour ma vie ; puis je fis demi-tour et retournai le sable avec les pieds, avec les mains ; mon mari arriva, Matteo aussi, et ils se mirent à chercher. Seule Lucilla continua à jouer avec les enfants, elle resta en dehors et maintint les enfants à l'écart de mon agitation.

Plus tard, une fois à la maison, je criai à mon mari, devant Bianca et Marta, que je ne voulais plus jamais la revoir, cette connasse, jamais, et mon mari me dit « très bien », pour avoir la paix. Quand je le quittai, Lucilla et lui eurent une relation. Il espérait peut-être qu'elle quitterait son mari et qu'elle s'occuperait des filles. Mais elle ne fit ni l'un ni l'autre. Elle l'aima, oui, certainement, mais elle resta mariée et ne prêta plus aucune attention à Bianca et Marta. Je ne sais pas comment s'est passée sa vie, si elle vit encore avec son mari, si elle est séparée et remariée ou si elle a élevé des enfants. Je ne sais plus rien d'elle. Nous étions alors de très jeunes femmes : qui sait ce qu'elle est devenue, ce qu'elle pense et ce qu'elle fait.

17

Je me garai et traversai la pinède, la pluie ruisselait. J'atteignis les dunes. L'établissement était désert, Gino n'était pas là, pas même le gérant. Avec la pluie, la plage était devenue une croûte sombre et ondulée contre laquelle venait se briser doucement la plaque blanchâtre de la mer. J'allai jusqu'aux parasols des Napolitains et m'arrêtai à celui de Nina et Elena où il y avait, en partie entassés sous les chaises longues et les lits pliants, en partie enfermés dans une enveloppe géante en plastique, les nombreux jouets de l'enfant. Le hasard, me dis-je, ou un appel silencieux, devrait pousser Nina jusqu'ici, toute seule. Sans la petite, sans rien. Se dire bonjour sans surprise. Déplier deux chaises, regarder la mer ensemble et lui communiquer calmement mon expérience en nous effleurant de temps en temps les mains.

Mes filles s'efforcent à tout instant d'être mon contraire. Elles sont intelligentes et compétentes, leur père les entraîne dans son sillage. Détermi-

nées et terrifiées, elles avancent comme un oura-
gan à travers le monde, elles réussiront beaucoup
mieux que nous, leurs parents. Il y a deux ans,
quand j'ai pressenti qu'elles partiraient pour qui
sait combien de temps, je leur ai écrit une longue
lettre dans laquelle je racontais en détail comment
j'en étais venue à les abandonner. Je ne voulais pas
expliquer mes raisons – quelles raisons ? – mais
les pulsions qui, quinze ans plus tôt, m'avaient
emportée au loin. J'ai fait deux copies de la
lettre, une pour chacune, et je les ai laissées dans
leurs chambres. Mais il ne s'est rien passé, elles
ne m'ont jamais répondu, elles ne m'ont jamais
dit : parlons-en. Une fois seulement, à une légère
manifestation d'amertume de ma part, Bianca m'a
répliqué en franchissant le seuil de la maison : tu
en as de la chance, toi, d'avoir le temps d'écrire
des lettres.

Quelle sottise de croire que l'on peut se raconter à ses enfants avant qu'ils aient au moins cinquante ans ! Prétendre qu'ils nous voient comme
une personne et non comme une fonction. Leur
dire : je suis votre histoire, c'est avec moi que vous
commencez, écoutez-moi, cela pourrait vous servir. Nina, en revanche, je ne suis pas son histoire,
Nina pourrait même me voir comme un futur. Me
choisir comme compagnie une fille qui me serait
extérieure. La chercher, l'approcher.

Je restai là un moment, immobile, à creuser avec
mon pied jusqu'à ce que je trouve du sable sec. Si
j'avais apporté la poupée, me dis-je – mais sans

regret –, j'aurais pu l'enterrer là, sous la croûte de sable mouillé. Ç'aurait été parfait, quelqu'un l'aurait retrouvée le lendemain. Pas Elena, non, j'aurais voulu que Nina la trouve, je me serais approchée et lui aurais dit : tu es contente ? Mais je n'ai pas apporté la poupée, je ne l'ai pas fait et n'y ai même pas pensé. Par contre, pour Nani j'ai acheté une nouvelle robe et des chaussures, un nouveau geste privé de sens. Ou du moins, s'il a un sens, je ne sais pas le trouver, comme pour tant de petites choses de ma vie. Je gagnai la rive, je voulais marcher beaucoup, me fatiguer.

En effet je me promenai longtemps, le sac en bandoulière, les sandales à la main, les pieds dans l'eau. Je croisai juste quelques rares couples d'amoureux. Au cours de la première année de vie de Marta j'avais découvert que je n'aimais plus mon mari. Une année difficile, la petite ne dormait jamais et ne me laissait pas dormir. La fatigue physique est comme une loupe. J'étais trop fatiguée pour travailler, penser, rire, pleurer, et pour aimer cet homme trop intelligent, trop engagé dans son défi acharné avec la vie et trop absent. L'amour requiert de l'énergie et je n'en avais plus. Quand commençaient ses caresses et ses baisers, je devenais nerveuse, j'avais l'impression d'être un stimulus dont il abusait pour ses plaisirs, de fait, solitaires.

Un jour je vis de très près ce que s'aimer veut dire, l'irresponsabilité puissante et joyeuse que cela libère. Gianni est calabrais, il est né dans un petit village de montagne où il a aujourd'hui encore une vieille maison de famille. Rien d'extraordinaire, mais l'air y est pur et le paysage est joli. Nous y allions avec les filles, il y a des années de cela, à Noël et à Pâques. Nous faisions un pénible voyage en voiture pendant lequel il conduisait dans un silence distrait tandis que je devais réprimer les caprices de Bianca et Marta (elles voulaient sans arrêt grignoter n'importe quoi, réclamaient des jouets qui se trouvaient dans le coffre et voulaient faire pipi quand elles venaient de faire) ou tenter de les divertir avec des chansonnettes. C'était le printemps mais l'hiver persistait. Il tombait du grésil et il allait bientôt faire nuit. Nous vîmes, immobile sur une aire de stationnement, un couple d'auto-stoppeurs grelottants.

Gianni s'arrêta presque instinctivement, c'est un homme généreux. Je lui dis : il n'y a pas de place, on a les filles, comment on va faire ? Le couple monta : ils étaient anglais, lui avait la quarantaine, les cheveux grisonnants, elle avait certainement moins de trente ans. Au début je fus hostile, taciturne, mon voyage se compliquait, je devrais faire encore plus d'efforts pour que les filles soient sages. C'est principalement mon mari qui parla, il aimait nouer des relations, surtout avec des étrangers. Il était cordial et posait des questions sans se soucier des conventions. Il s'avéra que tous deux avaient brusquement abandonné leur travail (je ne me rappelle plus ce qu'ils faisaient)

et, avec leur travail, leurs familles : un jeune mari
pour elle, une femme et trois enfants en bas âge
pour lui. Ils voyageaient depuis quelques mois à
travers l'Europe avec très peu d'argent. L'homme
déclara sérieusement : l'important, c'est d'être
ensemble. Elle approuva et, à un moment donné,
elle m'adressa un discours dont la teneur était :
nous sommes obligés de faire tellement de choses
idiotes depuis que nous sommes petits en pensant
qu'elles sont essentielles ; ce qui nous est arrivé est
la seule chose sensée qui me soit arrivée depuis
que je suis née.

À partir de cet instant ils me plurent. Quand il
fallut les laisser, de nuit, sur le bord de l'autoroute
ou à une station-essence semi-déserte, parce qu'il
était temps pour nous de bifurquer vers l'intérieur,
je dis à mon mari : invitons-les à la maison, il
fait nuit et froid, demain nous les accompagne-
rons au péage le plus proche. Ils dînèrent sous
les yeux intimidés des filles, je dépliai pour eux le
vieux canapé-lit. Maintenant j'avais l'impression
qu'ensemble, mais aussi séparément, ils déga-
geaient une puissance qui s'étendait à l'infini et
qui me renversait, pénétrait dans mes veines et
enflammait mon cerveau. Je commençai à parler de manière surexcitée, j'avais l'impression
d'avoir une foule de choses à leur dire, à eux et à
eux seuls. Ils louèrent ma maîtrise de la langue,
mon mari me présenta ironiquement comme une
extraordinaire chercheuse en littérature anglaise
contemporaine. Je niai et expliquai exactement ce

que j'étudiais, tous deux s'intéressèrent beaucoup à mon travail, en particulier la jeune femme – ce qui ne m'arrivait jamais.

J'étais surtout fascinée par elle – elle s'appelait Brenda. Je lui parlai pendant toute la soirée, je m'imaginais à sa place, libre, en voyage, avec un inconnu que je désirais à tout moment et qui me désirait à tout moment. Faire table rase de tout. Aucune habitude, aucune sensation limitée par tout ce qu'il y avait de prévisible. Moi j'étais moi, je produisais des pensées qui ne dérivaient d'aucun souci autre que le fil emmêlé de mes désirs et de mes rêves. Personne ne me tenait encore enchaînée malgré la coupure du cordon ombilical. Le matin, quand ils me saluèrent, Brenda, qui connaissait un peu l'italien, me demanda si j'avais quelque chose de moi à lui faire lire. De moi : je savourai cette formule – *quelque chose de moi*. Je lui donnai un misérable texte composé de quelques feuillets, un petit article publié deux ans auparavant. Enfin ils s'en allèrent, mon mari les raccompagna à l'autoroute.

Je rangeai la maison, défis leur lit avec un soin mélancolique, et en même temps j'imaginai Brenda nue et sentis entre ses jambes une excitation liquide qui était la mienne. Je rêvai, pour la première fois depuis que j'étais mariée – pour la première fois depuis la naissance de Bianca, de Marta – de dire à l'homme que j'avais aimé et à mes filles : je dois m'en aller. J'imaginai qu'ils pouvaient eux-mêmes m'accompagner à l'autoroute, tous les trois : je les saluais d'un geste de la main tandis qu'ils repartaient et me laissaient là.

Une image qui a duré. Combien de temps ai-je pu rester assise sur la rambarde de sécurité comme Brenda, en me prenant pour elle ! Un an ou deux passèrent, je crois, avant que je ne m'en aille pour de bon. Une époque douloureuse. Je crois n'avoir jamais songé à abandonner mes filles. Cela me semblait terrible, d'un égoïsme stupide. Je songeais en revanche à quitter mon mari, je cherchais un moment opportun. On attend, on se lasse, on recommence à attendre. Quelque chose finira bien par se produire et entre-temps on ne supporte plus rien, on risque de devenir dangereuse. Je n'arrivais pas à me calmer, même la fatigue ne me calmait pas.

Qui sait combien de temps je marchai. Je regardai ma montre et fis demi-tour vers l'établissement balnéaire, mes chevilles me faisaient mal. Le ciel était dégagé, le soleil chauffait, les gens étaient revenus paresseusement sur la plage, certains habillés, d'autres en maillot de bain. Maintenant on rouvrait les parasols, sur le passage le long de la rive c'était une procession interminable qui célébrait le retour des vacances.

À un moment donné je vis un groupe d'adolescents qui donnait quelque chose aux baigneurs. Quand j'arrivai à leur hauteur, je les reconnus, c'étaient les gamins napolitains de la famille de Nina. Ils distribuaient des affichettes comme si c'était un de leurs jeux, chacun en avait un bon

paquet. L'un d'eux me reconnut et dit : à celle-là
ça ne sert à rien. Je pris quand même une affichette, continuai à marcher puis jetai un œil. Nina
et Rosaria avaient fait comme quand on perd un
chat ou un chien. Il y avait au milieu de la page
une vilaine photo d'Elena avec sa poupée. Il y
avait, en gros caractères, un numéro de portable.
Quelques lignes disaient d'un ton destiné à émou-
voir que l'enfant était dans la plus grande détresse
après la disparition de sa chère poupée. On pro-
mettait une généreuse récompense pour qui l'aurait trouvée. Je pliai l'affichette avec soin et la mis
dans mon sac près de la robe neuve de Nani.

18

Je rentrai à la maison après dîner, étourdie par le mauvais vin. Je passai devant le bar où Giovanni prenait le frais avec ses amis. En me voyant il se leva, me fit un geste de salut et leva son verre de vin comme pour m'inviter. Je ne répondis pas et n'éprouvai aucun remords pour cette impolitesse.

Je me sentais très malheureuse. C'était une impression de dissolution, comme si, pendant toute la journée, le vent avait soufflé sur le petit tas de poussière bien ordonné que j'étais, jusqu'à ce que je me retrouve suspendue et informe dans l'air. Je jetai mon sac sur le divan, n'ouvris ni la porte de la terrasse ni les fenêtres de la chambre à coucher. J'allai dans la cuisine pour prendre un verre d'eau et y mélanger les gouttes d'un somnifère que je ne prenais que dans de très rares occasions de découragement. Pendant que je buvais, j'aperçus la poupée assise sur la table et me souvins de la robe que j'avais dans mon sac. J'eus honte. J'attrapai la poupée par la tête, la traînai dans le séjour et m'affalai sur le divan en posant son ventre contre ma poitrine.

Elle était drôle avec ses grosses fesses et son dos rigide. Voyons si ces affaires te vont, dis-je à haute voix, avec colère. Je sortis la robe, la culotte, les chaussettes et les chaussures. Je lui essayai sa robe que je pressai sur son corps à la renverse, c'était la bonne taille. Demain j'irais directement chez Nina et lui dirais : je l'ai trouvée hier soir dans la pinède, regarde, et ce matin je lui ai acheté une petite robe pour que ta fille et toi puissiez jouer avec. Je soupirai, mécontente, laissai tout sur le divan, et j'étais sur le point de me lever quand je m'aperçus qu'un liquide sombre était à nouveau sorti de la bouche de la poupée et avait taché ma jupe.

J'examinai ses lèvres qui entouraient un petit trou. Je sentis qu'elles cédaient sous mes doigts, elles étaient d'un plastique plus souple que le reste du corps. Je les écartai avec douceur. Le trou de la bouche s'élargit et la poupée fit un sourire, elle me montra ses gencives et ses dents de lait. Je lui refermai aussitôt la bouche avec répulsion et la secouai fortement. J'entendis l'eau qu'elle avait dans l'estomac et imaginai la pourriture de ce ventre, le liquide renfermé et stagnant mélangé au sable. Ce sont vos histoires de mère et de fille, me dis-je, pourquoi m'y suis-je immiscée ?

Je dormis profondément. Le lendemain je mis dans mon sac les affaires de plage, les livres, les cahiers, la petite robe et la poupée, et je repris la route de la plage. En voiture j'écoutai une vieille compilation de David Bowie et entendis pendant tout le trajet la même chanson, *The Man Who Sold the World*, c'était une partie de ma jeunesse. Je traversai la pinède, fraîche et humide de la pluie de la veille. De temps en temps, sur les troncs, surgissait l'affichette avec la photo d'Elena. J'eus envie de rire. Peut-être que Corrado le grincheux me donnerait une généreuse récompense.

Gino fut d'une grande gentillesse, cela me fit plaisir de le voir. Il avait déjà mis le lit de plage à sécher au soleil ; il m'accompagna à mon parasol en insistant pour porter mon sac, mais sans jamais avoir recours à une familiarité excessive. Un garçon intelligent et discret, il fallait l'aider, le pousser à terminer ses études. Je me mis à lire, mais j'étais distraite. Sur sa chaise longue, Gino aussi sortit son manuel et me fit un petit sourire comme pour souligner une affinité.

Nina n'était pas encore là, pas même Elena. Il y avait les enfants qui distribuaient les affichettes la veille, puis apparurent en ordre épars, en retard et mollement, les cousins, les frères et la belle-famille, tous les parents. En dernier – il était presque midi – arrivèrent Rosaria et Corrado, elle devant, en maillot de bain, exhibant son énorme ventre de femme enceinte qui ne se soumet à aucun régime mais porte cependant son ventre avec désinvolture, sans faire d'histoires, et lui derrière, en tricot de corps, short et savates, avançant d'un pas nonchalant.

L'agitation me reprit, j'eus un peu de tachycardie. Nina ne viendrait pas à la plage, c'était
clair, peut-être la petite était-elle malade. Je fixai
avec insistance Rosaria. Elle avait l'air sombre,
elle ne regarda jamais de mon côté. Je cherchai
alors Gino du regard, peut-être savait-il quelque
chose, mais je m'aperçus que le poste du garçon
de plage était vide et le livre abandonné sur la
chaise longue.

À peine vis-je Rosaria quitter son parasol et se
diriger seule, les jambes écartées, vers le rivage,
que je la rejoignis. Elle ne fut pas contente de me
voir et ne fit rien pour le cacher. Elle répondit à
mes questions par monosyllabes, sans cordialité
aucune.

« Comment va Elena ?

— Elle est enrhumée.

— Elle a de la fièvre ?

— Un peu.

— Et Nina ?

— Nina est avec sa fille, qu'est-ce qu'elle peut
faire d'autre ?

— J'ai vu l'affiche. »

Elle fit une mimique de déception.

« Je l'ai dit à mon frère que c'était inutile, c'est
juste du cassage de couilles. »

Elle parlait et traduisait directement du dialecte.
Je fus sur le point de lui dire oui, c'est inutile, c'est
du cassage de couilles : la poupée, c'est moi qui
l'ai, maintenant je la rapporte à Elena. Mais son
ton distant me dissuada, ce n'est pas à elle que

j'avais envie de le dire, je n'avais envie de le dire à personne du clan. Aujourd'hui, ils n'étaient pas ce spectacle que je contemplais en le comparant avec mélancolie à ce dont je me souvenais de mon enfance à Naples, mais ils faisaient partie de mon propre temps, de ma propre vie marécageuse, dans laquelle parfois je m'enfonçais encore. Ils étaient vraiment comme la famille dont je m'étais enfuie quand j'étais jeune. Je ne les supportais pas et pourtant ils m'avaient sous leur emprise, je les avais tous à l'intérieur de moi.

L'existence a parfois une géométrie ironique. À partir de treize ou quatorze ans j'avais aspiré au décorum bourgeois, à une belle langue italienne et à une bonne vie cultivée et méditative. Naples me semblait une vague qui allait me noyer. Je ne croyais pas que la ville puisse jamais contenir des formes de vie différentes de celles que j'avais connues quand j'étais petite : violentes, sensuelles et indolentes, vulgaires et mièvres, ou retranchées de manière obtuse dans la défense de leur propre dégradation misérable. Je ne les cherchais même pas, ces formes, ni dans le passé ni dans un éventuel futur. J'étais partie comme une brûlée vive qui, en hurlant, s'arrache la peau brûlée et croit arracher la brûlure même.

Ce que j'avais craint le plus, quand j'avais abandonné mes filles, c'était que Gianni, par paresse, vengeance ou nécessité, puisse emmener Bianca et Marta à Naples et les confier à ma mère et à ma famille. Je suffoquais d'anxiété, je me disais :

qu'est-ce que j'ai combiné, je me suis enfuie et pourtant je les laisse retourner là-bas. Mes deux filles s'enfonceraient petit à petit dans le puits noir d'où je venais, à force d'en respirer les habitudes, la langue et tous ces traits que j'avais effacés de moi quand j'avais quitté la ville à dix-huit ans pour aller étudier à Florence, un endroit lointain et comme étranger pour moi. J'avais dit à Gianni : fais ce que tu veux mais je t'en prie, ne les laisse pas à ma famille de Naples. Gianni me cria qu'il faisait ce qu'il voulait de ses filles, je n'avais pas mon mot à dire si je m'en allais. En fait il s'en occupa très bien, mais quand il fut dépassé par le travail ou obligé de voyager à l'étranger, il les emmena sans hésiter chez ma mère, dans l'appartement où j'étais née, dans les pièces où j'avais lutté avec férocité pour pouvoir m'émanciper, et il les lui laissa pendant des mois.

La nouvelle m'en parvint et j'éprouvai du regret, mais ce n'est pas pour autant que je revins sur mes pas. J'étais loin, j'avais l'impression d'être une autre personne, d'être enfin la vraie moi-même, et pour finir je laissai les filles s'exposer aux blessures de ma ville natale, les mêmes qui, sur moi, me paraissaient inguérissables. Ma mère a bien réagi, à cette époque, elle s'est occupée d'elles, elle s'est échinée, mais je ne lui ai manifesté aucune gratitude, ni pour cela ni pour le reste. La colère secrète que j'entretenais contre moi-même, je l'ai déversée sur elle. Par la suite, quand j'ai récupéré mes filles et les ai emmenées à Florence, je l'ai accusée d'avoir eu une mauvaise influence sur elles, comme elle l'avait eu sur moi. Des accusations calomnieuses. Elle s'est défendue et a réagi avec méchanceté, elle était très peinée – elle est morte peu de temps après, peut-être empoisonnée par sa propre peine. La dernière chose qu'elle m'a dite, quelque temps avant de mourir, dans un dialecte haché, ce fut : je m'gèle les miches, Leda, et j'fais dans mon froc.

Tout ce que je lui ai crié et que j'aurais mieux fait de ne même pas penser. Je voulais – maintenant que j'étais revenue – que mes filles ne dépendent que de moi. Parfois j'avais même l'impression de les avoir faites toute seule, je ne me rappelais déjà plus rien de Gianni, rien d'intime physiquement, ses jambes, son thorax, son sexe ou son goût, comme si nous ne nous étions même jamais effleurés. Lorsque ensuite il partit au Canada, cette impression se renforça, il me sembla avoir nourri mes filles uniquement de moi-même, et ne percevoir en elles que la lignée féminine de mes ancêtres, dans le bien comme dans le mal. Alors mes angoisses augmentèrent. Pendant des années, Bianca et Marta eurent de mauvais résultats scolaires, à l'évidence elles étaient désorientées. Je les pressais, les sollicitais, les tourmentais. Je leur disais : qu'est-ce que vous voulez faire de votre vie, comment allez-vous finir, vous voulez régresser, vous gâcher, annuler tous les efforts que nous avons faits votre père et moi, redevenir comme votre grand-mère, qui n'avait que le certificat d'études ? Déprimée, je murmurais à Bianca : j'ai parlé avec tes professeurs, j'ai eu l'air de quoi, moi ? Je les voyais dérailler toutes les deux, je les trouvais toujours plus prétentieuses et ignorantes. J'étais sûre qu'elles s'enliseraient dans leurs études, dans tout, et il y eut une période où je ne me sentais bien que lorsque je savais qu'elles étaient en train d'acquérir une discipline : à l'école elles commençaient à réussir, l'ombre des femmes de ma famille se dissipait.

Ma pauvre maman. Qu'est-ce qu'elle avait transmis de mal aux filles, après tout ? Rien, juste un peu de dialecte. Grâce à elle, aujourd'hui Bianca et Marta savent bien imiter l'accent napolitain et connaissent quelques expressions. Quand elles sont de bonne humeur, elles se moquent de moi. Elles copient mon accent, même au téléphone, depuis le Canada. Elles imitent cruellement le rythme du dialecte qui ressort dans ma manière de parler les autres langues, ou certaines formules napolitaines que j'utilise en les italianisant. Cassage de couilles. Je souris à Rosaria, je cherche quelque chose à lui dire, je feins d'avoir de bonnes manières même si elle n'en a pas. Oui, mes filles m'humilient, surtout avec l'anglais, elles ont honte de la manière dont je le parle, je m'en suis aperçue les fois où nous sommes allées à l'étranger ensemble. Et pourtant c'est la langue de mon métier, j'avais l'impression d'en faire une utilisation irréprochable. Mais elles insistent, je ne suis pas douée, et elles ont raison. En effet, malgré mes envolées, je ne suis pas allée bien loin. Si je veux, en un instant je peux redevenir exactement comme cette femme, Rosaria. Cela me demanderait quelques efforts, c'est sûr ; ma mère savait passer sans transition de la fiction de la belle femme petite-bourgeoise au flot nauséeux de son malheur. Pour moi ce serait plus dur, mais j'y arriverais. Mes deux filles, par contre, se sont éloignées pour de bon. Elles appartiennent à un autre temps, je les ai perdues dans le futur.

Je souris de nouveau, gênée, mais Rosaria ne me sourit pas, la conversation s'éteint. Maintenant, j'hésite entre aversion inquiète et sympathie triste pour cette femme. J'imagine qu'elle enfantera sans mot dire, en deux heures elle s'expulsera elle-même tout en expulsant une autre elle-même. Le lendemain elle sera debout, aura plein de lait, un flot de lait bien nourrissant, et recommencera à guerroyer, vigilante et violente. Maintenant c'est clair pour moi qu'elle ne veut pas que je voie sa belle-sœur, elle la considère – j'imagine – comme une casse-couilles qui se croit distinguée, une mijaurée qui, lorsqu'elle était enceinte, n'arrêtait pas de se plaindre et de vomir. À ses yeux Nina est molle, liquide et exposée à toutes sortes de mauvaises influences, et moi, après les mauvaises actions que j'ai confessées, je ne suis plus considérée comme une bonne amitié de plage. C'est pourquoi elle voulait la protéger de moi, elle a peur que je ne lui mette de drôles d'idées en tête. Elle veille au nom de son frère, l'homme au ventre taillad. Pas de braves gens, m'avait dit Gino. Je restai un peu les pieds dans l'eau, je ne savais pas quoi lui dire. Le temps d'hier, d'aujourd'hui, attirait comme un aimant tous les temps de ma vie. Je retournai à mon parasol.

Là je réfléchis à ce que j'allais faire, et enfin je me décidai. Je pris mon sac et mes chaussures, attachai un paréo autour de ma taille et m'éloignai vers la pinède en laissant mes livres sur le lit pliant et ma robe attachée aux rayons du parasol.

Gino avait dit que les Napolitains habitaient une villa sur les dunes, abritée dans la pinède. Je suivis la ligne de démarcation entre les épines et le sable, à l'ombre, au soleil. Peu après je vis la villa, une construction prétentieuse à deux étages au milieu des roseaux, des lauriers-roses et des eucalyptus. À cette heure, les cigales étaient assourdissantes.

J'avançai dans le maquis, je cherchais un sentier qui me conduise jusqu'à la maison. En même temps je sortis l'affichette de mon sac et composai le numéro qui y était indiqué. J'espérais que Nina répondrait : j'attendis. Tandis que le téléphone sonnait dans le vide, j'entendis la sonnerie plaintive d'un portable au cœur du sous-bois, sur ma droite, et puis la voix de Nina qui disait en riant : allez, ça suffit, arrête, laisse-moi répondre.

Je raccrochai brusquement et cherchai du regard dans la direction d'où la voix m'était arrivée. Je vis Nina vêtue d'une robe légère de couleur claire, appuyée contre un tronc. Gino l'embrassait. Elle avait l'air d'accepter ce baiser mais elle gardait les yeux ouverts, amusés et inquiets, tout en repoussant avec douceur la main qui recherchait son sein.

19

Je me baignai et m'allongeai, le dos au soleil et le visage enfoui dans mes bras croisés. Dans la position où je me trouvais, j'aperçus le jeune homme qui revenait : il descendait les dunes à grands pas, la tête basse. Une fois à son poste, il essaya de lire, mais il n'y arriva pas et fixa longuement la mer. Je sentis que ma légère contrariété de la veille au soir s'était muée en hostilité. Il semblait tellement convenable, il m'avait tenu compagnie pendant des heures et s'était montré attentif et sensible. Il avait dit qu'il craignait les réactions féroces de la famille et du mari de Nina, il m'avait mise en garde. Et pourtant il ne se retenait pas, il les exposait tous les deux à Dieu sait quels risques. Il la tentait et l'attirait à lui au moment même où elle était la plus fragile, écrasée par le poids de sa fille. Si je les avais découverts, n'importe qui pourrait le faire. Tous deux me décevaient.

Les surprendre m'avait, je ne sais comment dire, troublée. C'était une émotion confuse, qui associait le vu et le non-vu, me donnait une bouffée de chaleur et me couvrait de sueur froide. Leur baiser brûlait encore et me réchauffait l'estomac, j'avais un goût de salive tiède à la bouche. Ce n'était pas une sensation adulte mais enfantine, je m'étais sentie comme une petite fille trépidante. Des fantasmes très lointains m'étaient revenus, des images fausses, inventées, comme lorsque, enfant, j'imaginais que ma mère sortait de chez nous en secret, de jour comme de nuit, pour retrouver ses amants, et je sentais sur mon corps la joie qu'elle éprouvait. En ce moment, c'était comme si une sorte de lie qui sommeillait au fond de mon ventre depuis des dizaines d'années se réveillait en moi.

Nerveuse, je quittai ma chaise longue et préparai en hâte mes affaires. Je me suis trompée, me dis-je, le départ de Bianca et Marta ne m'a pas réussi. Je l'avais cru, mais ce n'est pas le cas. Depuis combien de temps ne leur ai-je pas téléphoné, il faut que je leur parle. S'affranchir et se sentir légère n'est pas un bien, c'est cruel envers soi-même et envers les autres. Je dois trouver le moyen de le dire à Nina. Quel sens ça a, un flirt estival, comme une adolescente, alors que sa fille est malade. Elle m'avait paru tellement extraordinaire, quand elle était avec Elena, avec la poupée, sous le parasol, au soleil ou au bord de la mer. Souvent elles prenaient chacune à leur tour du sable mouillé avec une petite cuillère à glace et faisaient mine de donner à manger à Nani. Comme elles étaient bien ensemble ! Elena jouait pendant des heures, seule ou avec sa mère, et on

131

voyait qu'elle était heureuse. Il me vint à l'esprit qu'il y avait davantage de puissance érotique dans son rapport à la poupée, là près de Nina, que dans tout l'éros qu'elle expérimenterait en grandissant et vieillissant. J'abandonnai la plage sans regarder ne serait-ce qu'une fois du côté de Gino et de Rosaria.

Je roulai vers la maison sur la départementale déserte, la tête remplie d'images et de voix. Quand j'étais retournée auprès de mes filles – il y a si longtemps, maintenant – les jours étaient redevenus lourds, le sexe une pratique sporadique et par conséquent paisible, sans prétention. Avant même d'échanger un baiser, les hommes m'expliquaient avec une détermination savante qu'ils n'avaient pas l'intention de quitter leurs femmes, qu'ils avaient des habitudes de célibataires auxquelles ils ne voulaient pas renoncer, ou qu'ils ne comptaient nullement assumer ma vie ni celle de mes filles. Je ne m'étais jamais plainte, à vrai dire, je pensais que cela était prévisible et, de ce fait, raisonnable. J'avais décidé que la saison de la frénésie était finie, trois années m'avaient suffi.

Pourtant, le matin où j'avais défait le lit de Brenda et de son amant, quand j'avais ouvert les fenêtres pour chasser leur odeur, j'avais cru découvrir dans mon organisme une demande de plaisir qui n'avait rien à voir avec mes premiers rapports sexuels à seize ans, avec les rapports inconfortables et insatisfaisants que j'avais eus avec mon futur mari ou avec les pratiques conjugales avant et surtout après la naissance des enfants. À partir de la rencontre avec Brenda et son compagnon, des attentes nouvelles naquirent. Je sentis pour la première fois, comme si j'avais reçu un coup à la poitrine, que j'avais besoin d'autre chose, mais j'eus du mal à me l'avouer : il me semblait que c'étaient des pensées inadaptées à ma condition et à mes ambitions de femme cultivée et sage.

Les jours passèrent, les semaines, et la trace des deux amoureux s'effaça définitivement. Mais je ne m'apaisai pas, au contraire une espèce de désordre augmenta dans mes rêveries. Je ne dis rien à mon mari, je n'essayai jamais de rompre nos habitudes sexuelles, pas même le jargon éro-tique que nous avions élaboré au fil des années. Pourtant j'étudiais, faisais les courses ou la queue pour payer une facture, quand tout à coup je me perdais dans des désirs qui m'embarrassaient et en même temps m'excitaient. J'avais honte, surtout quand cela m'arrivait alors que je m'occupais des filles. Je chantais des chansons avec elles, lisais des fables avant qu'elles ne s'endorment, aidais Marta à manger, je les lavais et les habillais, et pendant ce temps je me sentais indigne, je ne savais comment faire pour me calmer.

Un matin, mon professeur me téléphona de l'université pour me dire qu'il avait été invité à un colloque international sur Forster. Il me conseillait d'y aller moi aussi, c'était le sujet dont je m'occu-pais, il estimait que ce serait très utile pour mon travail. Quel travail ? Je n'arrivais à rien, il n'avait pas fait grand-chose non plus pour me faciliter la tâche. Je le remerciai. Je n'avais pas d'argent, rien à me mettre, mon mari traversait une mauvaise passe et avait fort à faire. Après des jours et des jours de neurasthénie et de dépression, je décidai de ne pas y aller. Mais mon professeur se montra contrarié. Il me dit que je m'égarais, je me mis en colère et n'entendis plus parler de lui pendant un moment. Quand il me rappela, ce fut pour m'apprendre qu'il avait trouvé le moyen de me procurer voyage et logement gratuitement.

Je ne pouvais plus me défiler. J'organisai chaque minute des quatre jours où j'allais être absente : des plats préparés au frigo, l'intervention d'amies heureuses d'être utiles à un scientifique un peu fou, une étudiante triste prête à s'occuper des enfants au cas où leur père aurait des réunions imprévues. Je partis en laissant tout scrupuleusement en ordre, Marta était seulement un peu enrhumée.

L'avion pour Londres était rempli d'universitaires très connus et de mes jeunes rivaux, beaucoup plus présents et actifs que moi dans la course aux postes. Le professeur qui m'avait invitée resta sur son quant-à-soi, pensif. C'était un homme bourru, il avait deux grands enfants et une femme raffinée et gentille, une grande expérience de l'enseignement et une culture immense ; toutefois, il était pris de crises de panique à chaque fois qu'il devait parler en public. Pendant le vol il ne fit que retoucher son texte, et dès que nous arrivâmes à l'hôtel, il me demanda de le lire pour voir s'il me convainquait. Je le lus et rassurai mon professeur en lui disant que c'était très bien : c'était mon rôle ; il partit en courant et je ne le vis pas de toute la première matinée de travail. Il réapparut seulement en fin d'après-midi, quand ce fut son tour de parler. Il délivra son texte posément, en anglais, mais comme il reçut quelques critiques, il se vexa, répondit sèchement et alla s'enfermer dans sa chambre d'où il ne sortit même pas pour le dîner. Je m'installai à une table parmi d'autres accompagnateurs comme moi, presque sans échanger un mot.

Je le revis le lendemain : une intervention était très attendue, celle du professeur Hardy, un chercheur très estimé qui venait d'une université prestigieuse. Mon professeur ne me salua même pas, il était avec d'autres personnes. Je trouvai une place au fond de la salle et ouvris avec application mon carnet de notes. Hardy apparut, c'était un homme d'une cinquantaine d'années, un peu petit, maigre, au visage agréable et aux yeux d'un bleu extraordinaire. Il adopta pour parler une voix basse et enveloppante, et au bout d'un moment je me surpris à me demander si cela me plairait de me laisser toucher par lui, caresser, embrasser. Il parla pendant dix minutes, puis à l'improviste, comme si sa voix venait du fond de ma propre hallucination érotique, et non du micro dans lequel il parlait, j'entendis qu'il prononçait mon prénom, mon nom.

Je n'y crus pas et pourtant je sentis mes joues s'empourprer. Il continua, c'était un orateur habile, il utilisait son texte écrit comme un simple canevas et maintenant il improvisait. Il répéta mon nom une, deux, trois fois. Je vis que mes collègues d'université me cherchaient du regard à travers la salle, je tremblais, j'avais les mains en sueur. Mon professeur aussi se retourna d'un air stupéfait, nos regards se croisèrent. L'universitaire anglais citait textuellement un extrait de mon article, le seul que j'avais publié jusqu'à ce jour, celui que j'avais donné il y avait bien longtemps à Brenda. Il le citait avec admiration, en discutait un passage de manière très minutieuse et l'utilisait pour mieux articuler son discours. Je sortis de la salle dès qu'il termina son intervention et que les applaudissements commencèrent.

Je courus dans ma chambre, j'avais l'impression que tout bouillonnait sous ma peau et je débordais de superbe. Je téléphonai à mon mari, à Florence. Je lui criai presque dans le combiné que quelque chose d'incroyable m'était arrivé. Il me dit : oui, c'est bien, je suis content, et m'annonça que Marta avait la varicelle, c'était sûr, le médecin avait dit qu'il n'y avait aucun doute. Je raccrochai. La varicelle de Marta chercha une place à l'intérieur de moi, portée par l'habituelle vague d'anxiété, mais au lieu du vide de ces dernières années elle trouva une fureur joyeuse, une impression de puissance, le joyeux mélange de triomphe intellectuel et de plaisir physique. Qu'est-ce que c'est qu'une varicelle, me dis-je, Bianca aussi l'a eue, cela passera. Je me laissai déborder par moi-même. Moi, moi, moi : voilà ce que je suis, ce que je sais faire, ce que je *dois* faire.

Mon professeur me téléphona dans ma chambre. Il n'y avait aucune familiarité entre nous, c'était un homme distant. Il parlait toujours avec une voix rauque et un peu irritée, il n'avait jamais considéré que je valais grand-chose. Il s'était résigné à mes pressions de diplômée ambitieuse, mais sans me faire de promesses, en général il se déchargeait sur moi des tâches les plus ennuyeuses. Mais cette fois-là il me parla avec douceur, il était tout confus et bafouilla des compliments sur mon talent. Il ne s'arrêtait plus : maintenant vous devrez vous engager davantage, essayez de finir rapidement votre nouvel essai, c'est important de publier autre chose, je tiendrai Hardy au courant de notre travail et vous verrez qu'il voudra vous connaître. C'était impensable, je n'étais rien. Il insista : ça va marcher.

Au déjeuner il voulut que je m'assoie à côté de lui et je me rendis compte tout de suite, dans une nouvelle vague de plaisir, qu'autour de moi tout avait changé. D'assistante anonyme, qui n'avait même pas droit à une rapide communication scientifique de fin de journée, j'étais devenue en l'espace d'une heure une jeune chercheuse dotée d'une petite réputation internationale. Les Italiens vinrent me féliciter l'un après l'autre, les jeunes comme les vieux. Puis arrivèrent quelques étrangers. Enfin Hardy entra dans la salle, quelqu'un lui parla à l'oreille et lui indiqua la table où j'étais assise. Il me regarda un instant, se dirigea vers sa table, s'arrêta, fit demi-tour et vint se présenter. Se présenter à moi, dans les formes.

Ensuite, mon professeur me dit à l'oreille : c'est un chercheur sérieux ; mais il travaille beaucoup, il vieillit et s'ennuie. Et il ajouta : si vous aviez été un homme, ou un peu moche ou vieille, il aurait attendu à sa table que vous lui rendiez l'hommage dû, et puis il vous aurait congédiée avec quelques formules froides et gentilles. Cela me parut une méchanceté. Quand il fit des allusions malicieuses à l'hypothèse que Hardy reviendrait sûrement à la charge dans la soirée, je murmurai : peut-être que ce qui l'intéresse surtout, c'est que j'aie écrit une contribution importante. Il ne répondit rien, marmonna oui, et il ne me félicita pas quand je lui annonçai éclatante de joie que le professeur Hardy m'avait invitée à sa table pour dîner.

Je dînai avec Hardy, je fus spirituelle et désinvolte, je bus pas mal. Ensuite nous fîmes une longue promenade et au retour, il était deux heures, il me demanda de monter dans sa chambre. Il le fit avec une grâce amusante et modeste, et j'acceptai. J'avais toujours considéré les rapports sexuels comme une réalité ultime très gluante, comme le contact le moins indirect possible avec un autre corps. Au contraire, je fus convaincue à partir de cette expérience que c'est un produit extrême de notre imagination. Plus le plaisir est grand, plus l'autre n'est qu'un rêve, la réaction nocturne du ventre, des seins, de la bouche, de l'anus et du moindre centimètre de peau aux caresses et aux heurts d'une entité indéfinie, définissable selon les nécessités du moment. Je ne sais pas ce que je mis dans cette rencontre mais j'eus le sentiment d'avoir toujours aimé cet homme – même si je venais à peine de le rencontrer – et ne désirer que lui.

À mon retour, Gianni me fit des reproches parce que en quatre jours je n'avais téléphoné que deux fois, alors que Marta était malade. Je lui dis : j'ai eu beaucoup de travail. Je lui dis aussi qu'après ce qui m'était arrivé, je devrais travailler beaucoup pour être à la hauteur de la situation. Par provocation, je me mis à passer dix heures par jour à l'université. Dès notre retour à Florence, mon professeur fut soudain disponible, il s'affaira pour que je parvienne sans tarder à publier de nouveau et il collabora activement avec Hardy pour que j'aille travailler quelque temps dans son université. J'entrai dans une phase d'activité surexcitée et douloureuse. Je bûchais énormément et en même temps je souffrais, parce que j'avais l'impression de ne pas pouvoir vivre sans Hardy. Je lui écrivais de longues lettres, je lui téléphonais. Si Gianni était à la maison, surtout le week-end, je courais à un téléphone public en traînant derrière moi Bianca et Marta pour ne pas éveiller ses soupçons. Bianca écoutait mes conversations téléphoniques et, bien qu'elles fussent en anglais, elle comprenait tout sans comprendre : je le savais mais je ne savais pas quoi faire. Les filles étaient là à côté de moi, muettes et perdues – je n'oubliais pas, je n'oublierai jamais. Et pourtant j'irradiais de plaisir contre ma propre volonté, je susurrais des phrases affectueuses, répondais à des sous-entendus obscènes et faisais à mon tour allusion à des obscénités. Je faisais seulement attention – quand elles me tiraient par la jupe, quand elles me disaient qu'elles avaient faim, voulaient une glace ou me réclamaient un ballon du vendeur de ballons qui était là, à deux pas – à ne pas hurler ça suffit, je m'en vais, vous ne me reverrez plus, exactement comme ma mère le faisait quand elle était désespérée. Elle ne nous quitta jamais, bien qu'elle nous le criât ; moi au contraire je quittai mes filles presque sans préavis.

Je conduisais comme si ce n'était pas moi au volant, je ne me rendis même pas compte de la route. Un vent brûlant entrait par les fenêtres. Je me garai devant la maison, je voyais devant moi Bianca et Marta, apeurées et petites comme elles l'avaient été il y a dix-huit ans. Mes joues me brûlaient, je me jetai aussitôt sous la douche. De l'eau froide. Je la laissai couler sur moi pendant longtemps, fixant le sable noir qui glissait le long de mes jambes et de mes pieds sur l'émail blanc du sol de la douche. Mon impression de chaleur disparut presque aussitôt. Sur mon corps tout entier s'abattit « *the chill of the crooked wing* » – le froid de l'aile tordue. Se sécher, s'habiller. J'avais appris cette expression d'Auden à mes filles, nous nous en servions entre nous comme d'une phrase complice pour dire qu'un endroit ne nous plaisait pas, que nous étions de mauvaise humeur ou simplement que c'était une sale journée très froide. Mes pauvres filles, obligées d'être cultivées même dans leur lexique familial, dès le plus jeune âge. Je pris mon sac, l'emportai sur la terrasse au soleil et renversai le contenu sur la table. La poupée tomba sur le flanc, je lui dis quelque chose comme on le fait à un chat ou un chien, puis je m'aperçus de ma propre voix et me tus aussitôt. Je décidai de m'occuper de Nani pour me tenir compagnie, pour me calmer. Je cherchai de l'alcool : je voulais effacer les marques de stylo qu'elle avait sur le visage et sur le corps. Je la frottai avec soin, mais le résultat ne fut pas bon. Nani, viens là, ma belle. On va te mettre ta culotte, tes chaussettes, tes chaussures. On va te mettre ta robe. Comme tu es élégante. Je fus surprise par ce surnom que je lui donnais désormais couramment quand je me parlais à moi-même. Pourquoi donc, parmi les nombreux surnoms qu'Elena et Nina utilisaient, avais-je choisi précisément celui-là ? Je regardai dans mon carnet, je les avais tous marqués : Neni, Nile, Nilotta, Nanicchia, Nanuccia, Nennella. Nani. Tu as de l'eau à l'intérieur, mon amour. Tu conserves ton liquide noirâtre dans le ventre. Puis je restai assise au soleil à me sécher les cheveux en les faisant bouffer de temps en temps avec les doigts. La mer était verte.

Moi aussi je cachais beaucoup de choses obscures, en silence. Par exemple le remords de mon ingratitude envers Brenda. C'était elle qui avait donné mon texte à Hardy, lui-même me le dit. Je ne sais pas comment ils se connaissaient et ne voulus pas savoir quelles dettes ils avaient l'un envers l'autre. Aujourd'hui je sais seulement que mes pages n'auraient jamais obtenu la moindre attention sans Brenda. Mais alors je ne le dis à personne, même pas à Gianni, même pas à mon professeur, et surtout je ne cherchai jamais à la retrouver. C'est quelque chose que j'ai uniquement admis dans la lettre que j'ai écrite à mes filles il y a deux ans, celle qu'elles n'ont même pas lue. Je leur ai écrit : j'avais besoin de croire que j'avais tout fait toute seule. Je voulais sentir toujours plus intensément mon être, mes mérites et l'autonomie de mes qualités.

Entre-temps, il m'arriva toutes sortes de choses qui semblaient confirmer ce que j'avais toujours espéré. J'étais douée ; je n'avais pas besoin de feindre une quelconque supériorité comme le faisait ma mère ; j'étais vraiment une créature hors du commun. Mon professeur de Florence s'en était enfin convaincu. Le prestigieux et élégant professeur Hardy s'en était également convaincu et il paraissait y croire plus que tous. Je partis pour l'Angleterre, revins, repartis. Mon mari s'alarma : qu'est-ce qui se passait ? Il protesta en disant qu'il n'arrivait pas à faire face en même temps à son travail et aux besoins des enfants. Je lui répondis que je le quittais. Il ne comprit pas, pensa que je faisais une dépression, chercha des solutions, appela ma mère et cria que je devais penser aux filles. Je lui dis que je ne pouvais plus vivre avec lui, que j'avais besoin de comprendre qui j'étais et quelles étaient mes réelles possibilités, et d'autres phrases de ce genre. Je ne pouvais pas lui hurler que je savais déjà tout de moi, que j'avais mille idées nouvelles, j'étudiais, aimais d'autres hommes et tombais amoureuse de quiconque me disait que j'étais douée et intelligente et m'aidait à me mettre à l'épreuve. Il se calma. Pendant un moment il essaya d'être compréhensif, puis il sentit que je lui mentais, se mit en colère et passa aux insultes. À un moment donné il s'écria : fais ce que tu veux, va-t'en.

Il n'avait jamais cru que je pouvais vraiment m'en aller sans les enfants. Mais je les lui laissai : je partis pendant deux mois et ne téléphonai jamais. C'est lui qui me tourmenta en me traquant à distance. Quand je rentrai, ce fut seulement pour emballer définitivement mes livres et mes notes.

À cette occasion j'achetai de petits vêtements à Bianca et Marta et les leur apportai en cadeau. Elles voulurent que je les aide à les enfiler, elles étaient frêles et tendres. Mon mari me prit à part avec gentillesse, il me demanda de réessayer, se mit à pleurer et dit qu'il m'aimait. Je lui dis non. Nous nous disputâmes et je m'enfermai dans la cuisine. Un peu plus tard j'entendis frapper doucement à la porte. Bianca entra, l'air sérieux, suivie de sa sœur un peu réticente. Bianca prit une orange du plateau de fruits, ouvrit un tiroir et me tendit un couteau. Je ne compris pas, je voulais seulement poursuivre mes passions, j'étais impatiente de fuir de cette maison, de l'oublier et de tout oublier. Tu nous fais le serpent, me demandat-elle alors, aussi au nom de Marta, et Marta me sourit pour m'encourager. Elles s'assirent devant moi pleines d'attente, elles adoptèrent des attitudes de petites femmes posées et élégantes, dans leurs vêtements neufs. D'accord, dis-je, je pris l'orange et commençai à entailler l'écorce. Les filles me regardaient fixement. Je sentais que leurs regards voulaient m'amadouer, mais je sentais encore plus fortement l'éclat de la vie en dehors d'elles, les nouvelles couleurs, les nouveaux corps, la nouvelle intelligence, une langue que je pouvais enfin posséder comme si c'était ma vraie langue, et rien, rien ne me semblait conciliable avec cet espace domestique d'où elles me fixaient toutes les deux pleines d'attente. Ah, les rendre invisibles, ne plus sentir les appels de leur chair comme des demandes plus pressantes et plus puissantes que celles qui venaient de la mienne. Je finis d'éplucher l'orange et je partis. À partir de ce moment-là et pendant trois ans, je ne les ai plus ni vues ni entendues.

20

L'interphone sonna, une violente décharge électrique qui arriva jusqu'à la terrasse.

Je regardai machinalement ma montre. Deux heures de l'après-midi, je ne connaissais personne au village qui soit assez intime avec moi pour frapper à cette heure-là. Puis Gino me vint à l'esprit. Il savait où j'habitais, peut-être était-il venu me voir pour me demander conseil.

On sonna à nouveau, un bruit moins décidé et plus bref. Je quittai la terrasse et allai répondre.

« Qui c'est ?

— Giovanni. »

Je soupirai – mieux valait Giovanni que ces mots qui tournaient dans ma tête sans trouver d'exutoire – et déclenchai l'ouverture de la porte d'entrée. J'étais pieds nus et cherchai des sandales, je boutonnai mon chemisier, ajustai ma jupe et arrangeai mes cheveux encore humides. J'ouvris dès que la sonnette retentit. Je le découvris devant moi noirci par le soleil, ses cheveux très blancs coiffés avec soin, une chemise aux couleurs criardes, un pantalon bleu au pli impeccable, des chaussures cirées et un paquet à la main.

« Je vous prends juste une minute.

— Entrez.

— J'ai vu votre voiture, je me suis dit : la dame est déjà de retour.

— Venez, installez-vous.

— Je ne veux pas déranger, mais si vous aimez le poisson, celui-là est tout frais pêché... »

Il entra et me tendit le paquet. Je fermai la porte, pris son cadeau, me forçai à sourire et dis :

« Vous êtes très gentil.

— Vous avez déjeuné ?

— Non.

— Vous pouvez même le manger cru.

— Quelle horreur !

— Alors frit et dégusté bien chaud.

— Je ne sais pas le nettoyer. »

De timide qu'il était il se fit brusquement envahissant. Il connaissait la maison : il alla droit à la cuisine et se mit à éviscérer le poisson.

« Cela me prend un rien de temps, dit-il, deux minutes. »

Je le regardai avec ironie tandis que, de ses gestes experts, il vidait ces créatures sans vie et puis grattait leurs écailles comme pour en ôter l'éclat et les couleurs. Je me dis que ses amis étaient sans doute en train de l'attendre au bar pour savoir si son entreprise allait aboutir. Je me dis que j'avais commis l'erreur de le faire entrer et que, si mon hypothèse était fondée, il allait s'attarder d'une manière ou d'une autre le temps nécessaire pour rendre plausible ce qu'il allait raconter. Les hommes ont toujours quelque chose de pathétique, à tout âge. Une arrogance fragile, une audace craintive. Je ne sais plus, aujourd'hui, s'ils ont jamais suscité en moi de l'amour ou seulement une affectueuse compréhension de leurs faiblesses. Giovanni, pensai-je, quoi qu'il se produise, se vanterait de son érection prodigieuse devant l'étrangère, sans médicament et malgré l'âge.

« Où est-ce que vous rangez l'huile ? »

Il s'occupa de la friture avec compétence, ses mots nerveux se bousculaient comme si sa pensée allait plus vite que la construction de ses phrases. Il chanta les louanges du passé, quand la mer était beaucoup plus poissonneuse et le poisson vraiment bon. Il parla de sa femme, qui était morte trois ans auparavant, et de ses enfants. Il dit aussi :

« Mon fils aîné est beaucoup plus âgé que vous.

— Cela m'étonnerait, je suis âgée.

— Comment, âgée ? Vous avez quarante ans, tout au plus.

— Non.

— Quarante-deux, quarante-trois.

— J'en ai quarante-huit, Giovanni, et j'ai deux grandes filles, une de vingt-quatre et une de vingt-deux ans.

— Mon fils a cinquante ans, je l'ai eu quand j'en avais dix-neuf et ma femme à peine dix-sept.

— Vous avez soixante-neuf ans ?

— Oui, et je suis trois fois grand-père.

147

— Vous les portez bien.

— Ce n'est qu'une apparence. »

J'ouvris la seule bouteille de vin que j'avais, un rouge acheté au supermarché, et nous mangeâmes la friture sur la table du séjour, assis l'un à côté de l'autre sur le divan. Le poisson s'avéra extraordinairement bon, je me mis à parler beaucoup, je me sentais rassérénée par le son de ma propre voix. Je parlai du travail et de mes filles, surtout d'elles. Je lui dis : pour moi elles n'ont jamais été un souci. Elles ont bien travaillé à l'école, elles ont toujours réussi leurs examens, elles ont fini l'université avec mention très bien et elles deviendront d'excellentes scientifiques, comme leur père. Maintenant elles vivent au Canada : l'une y est pour, disons, perfectionner ses études, la plus grande y est pour travailler. Je suis contente, j'ai fait mon devoir de mère, je les ai préservées de tous les dangers d'aujourd'hui.

Je parlais et il écoutait. De temps en temps il se racontait. Son fils aîné était géomètre et sa femme travaillait à la poste ; la deuxième avait épousé un brave garçon, c'était celui qui avait le kiosque sur la place ; le troisième, c'était sa croix, il n'avait pas voulu étudier, il gagnait seulement un peu d'argent l'été en promenant en barque les touristes de passage ; la quatrième avait pris un peu de retard dans les études parce qu'elle avait eu une grave maladie, mais maintenant elle était sur le point de finir ses études supérieures, ce serait la première diplômée universitaire de la famille.

Il me parla aussi avec grande douceur de ses petits-enfants, c'est l'aîné qui les lui avait tous donnés, les autres non, pas d'enfant. Il se créa une atmosphère agréable, je commençai à me sentir à l'aise, une sensation d'adhésion positive aux choses, la saveur du poisson – c'étaient des rougets –, le verre de vin, la lumière qui irradiait de la mer et tapait contre la vitre. Il me racontait ses petits-enfants, je me mis à lui raconter mes filles quand elles étaient petites. Une fois, il y a vingt ans, à la neige : comme nous nous étions amusées, Bianca et moi ; elle avait trois ans, une petite combinaison rose, une capuche bordée de fourrure blanche, et ses joues étaient toutes rouges ; nous grimpions en haut d'une butte en traînant derrière nous une luge, puis Bianca s'asseyait devant, moi derrière, je la sentais contre moi et nous glissions à toute vitesse, nous criions toutes deux de joie, et quand nous arrivions tout en bas, il n'y avait plus ni le rose de la combinaison de l'enfant, ni même le rouge de ses joues, tout avait disparu sous une couche de brillantes écailles de glace, on ne voyait que ses yeux heureux et le trou de sa bouche qui disait : encore, maman.

Je parlais et ne me venaient à l'esprit que des moments heureux, j'éprouvais un regret qui n'était pas triste mais agréable en pensant à leurs petits corps, à leur volonté de me sentir et me lécher, de m'embrasser et m'enlacer. Tous les jours Marta épiait mon retour du travail depuis la fenêtre de la maison, et dès qu'elle m'apercevait, on ne pouvait plus la tenir, elle ouvrait la porte de l'escalier, descendait en courant – un petit corps tendre et avide de moi –, elle courait tellement que je craignais qu'elle ne tombe et lui faisais signe : doucement, ne cours pas, elle était toute petite mais elle était agile et sûre d'elle, je posais mon sac, m'agenouillais, écartais les bras pour l'accueillir et elle se précipitait contre mon corps comme un projectile, elle me faisait presque tomber, je l'étreignais, elle m'étreignait.

Le temps passe, dis-je, il emporte leurs petits corps, ils ne sont qu'un souvenir pour nos bras. Ils grandissent, vous rattrapent, vous dépassent. À seize ans Marta était déjà plus grande que moi. Bianca est restée plutôt petite, sa tête m'arrive à l'oreille. Parfois elles s'assoient sur mes genoux comme quand elles étaient enfants, me parlent en même temps, me font des caresses et m'embrassent. Je soupçonne Marta d'avoir grandi en s'inquiétant pour moi et en cherchant à me protéger, comme si c'était elle qui était la grande et moi la petite, c'est cet effort qui l'a rendue aussi plaintive et lui a donné un sentiment d'inadéquation aussi fort. Mais je ne suis pas sûre de tout ça. Bianca par exemple est comme son père : elle n'est pas expansive mais elle aussi, avec ses phrases sèches et brèves – des ordres plus que des demandes –, elle m'a parfois laissé à penser qu'elle voulait me rééduquer pour mon bien. On sait comment sont les enfants, ils vous aiment parfois en vous câlinant et parfois en essayant de vous changer complètement, comme s'ils pensaient que vous aviez mal grandi et qu'ils devaient vous apprendre comment on fait pour vivre, la musique que vous devez écouter, les livres que vous devez lire, les films que vous devez voir, les mots que vous devez employer et ceux que vous ne devez pas parce qu'ils sont obsolètes et que personne ne les utilise plus.

« Ils croient toujours tout savoir mieux que nous, confirma Giovanni.

— Parfois c'est vrai, dis-je, parce qu'ils ajoutent à ce que nous leur avons enseigné ce qu'ils apprennent en dehors de nous, dans leur propre temps, qui est toujours un autre et n'est plus le nôtre.

— Et qui est pire.

— Vous trouvez ?

— On les a gâtés, ils veulent trop.

— Je ne sais pas.

— Quand j'étais enfant, qu'est-ce que j'avais ? Un petit pistolet en bois. Sur la crosse on avait cloué une pince à linge et sur le canon un élastique. Dans l'élastique on mettait une petite pierre comme on le fait avec les frondes et on accrochait à la pince la pierre et l'élastique. Ainsi le pistolet était chargé. Quand tu voulais tirer, tu ouvrais la pince et la pierre partait. »

Je le regardai avec sympathie, je commençais à changer d'avis. Maintenant je le voyais comme un homme paisible et je ne me disais plus qu'il était

151

monté chez moi pour faire croire à ses copains que nous flirtions. Il cherchait juste une petite compensation qui atténue le choc de ses déceptions. Il voulait bavarder avec une femme qui venait de Florence, avait une belle voiture, des habits élégants comme à la télévision et partait seule en vacances.

« Aujourd'hui ils ont tout, les gens s'endettent pour s'acheter des idioties. Mon épouse ne gaspillait pas le moindre centime, alors que les femmes d'aujourd'hui jettent l'argent par les fenêtres. »

Même cette manière de se plaindre du présent et du passé proche, d'idéaliser le passé lointain, ne m'agaçait pas comme c'est le cas d'habitude. Cela me semblait plutôt une manière comme tant d'autres de se convaincre qu'il y a toujours une mince branche de sa propre vie à laquelle on s'accroche et d'où l'on s'habitue, suspendu, à la nécessité de tomber. Quel sens cela avait-il de polémiquer avec lui, de lui dire : j'ai fait partie d'une vague de femmes nouvelles, j'ai essayé d'être différente de ta femme, peut-être aussi de ta fille, je n'aime pas ton passé ? Pourquoi se mettre à discuter, mieux valait cette calme rengaine des discours éculés. À un moment donné il dit avec mélancolie :

« Quand mes enfants étaient petits, pour qu'ils soient sages, ma femme leur donnait à sucer un petit chiffon avec un peu de sucre dedans.

— La *pupatella*.

— Vous aussi vous connaissez ?

— Une fois, ma grand-mère en prépara une pour ma plus jeune fille qui pleurait sans arrêt, on ne comprenait pas ce qu'elle avait.

— Vous voyez ? Alors que maintenant on les emmène chez le médecin, on soigne les parents et les enfants, on pense que pères, mères et nouveau-nés sont malades. »

Tandis qu'il continuait à faire l'éloge du temps passé, je me souvins de ma grand-mère. À l'époque elle devait avoir plus ou moins l'âge de cet homme, je pense, mais elle était petite, voûtée et née en 1916. J'étais venue en visite à Naples avec mes deux filles, exténuée comme d'habitude, en conflit avec mon mari qui devait m'accompagner mais qui était resté à Florence au dernier moment. Marta hurlait, elle ne trouvait plus sa tétine, ma mère me blâmait parce que, disait-elle, j'avais habitué la petite à toujours garder ce truc à la bouche. Je commençai à me disputer, j'en avais marre, elle me critiquait tout le temps. Alors ma grand-mère prit un petit morceau d'éponge, le couvrit de sucre, le mit dans de la gaze, une enveloppe de bonbonnière, je crois, et elle l'enserra dans un fin ruban. Un être minuscule apparut : un fantôme vêtu d'une petite robe blanche qui lui cachait le corps et les pieds. Je me calmai comme devant un enchantement. Marta aussi, qui, dans les bras de son arrière-grand-mère, serrait entre ses lèvres la petite tête blanche de ce lutin et cessa de pleurer. Même ma mère s'apaisa, s'amusa et dit que sa mère me faisait taire ainsi, quand j'étais toute petite et qu'elle sortait : dès que je ne la voyais plus, je commençais à hurler et à pleurer.

Je souris étourdie par le vin et posai ma tête sur l'épaule de Giovanni.

« Vous ne vous sentez pas bien ? me demanda-t-il, gêné.

— Si, ça va.

— Allongez-vous un moment. »

Je m'allongeai sur le divan et il resta assis près de moi.

« Ça va passer.

— Rien ne doit passer, Giovanni, je vais très bien », lui dis-je avec douceur.

Je regardai par la porte-fenêtre, dans le ciel il n'y avait qu'un nuage, effilé et blanc, et les yeux bleus de Nani affleuraient à peine : elle était restée assise sur la table, avec son front bombé et sa tête à moitié chauve. Bianca, je l'ai allaitée, pas Marta, pas du tout, elle ne voulait pas, elle pleurait et je me désespérais. Je voulais être une bonne mère, une mère irréprochable, mais mon corps s'y refusait. Je pensais parfois aux femmes du passé, écrasées par leurs enfants trop nombreux, et aux rites qui les aidaient à guérir ou à supprimer les petits les plus démoniaques : les abandonner une nuit seuls dans les bois, par exemple, ou les immerger dans une source d'eau glacée.

« Vous voulez que je vous fasse un café ?

— Non merci, restez là, ne bougez pas. »

Je fermai les yeux. Nina me revint à l'esprit, je la vis le dos contre le tronc d'arbre, je pensai à son long cou et à sa poitrine. Je pensai aux pointes des seins où Elena avait tété. Je pensai à la manière dont elle serrait la poupée contre elle pour montrer à la petite comment on faisait pour allaiter un enfant. Je pensai à la petite qui imitait sa pose et son geste. Oui, les premiers temps des vacances avaient été très bien. J'éprouvais le besoin d'en exagérer le plaisir afin d'échapper à l'angoisse de mes journées actuelles. En fin de compte nous avons surtout besoin de douceur, fût-ce en trichant. Je rouvris les yeux.

« Vous avez repris des couleurs, avant vous étiez devenue toute jaune.

— Parfois la mer me fatigue. »

Giovanni se leva et dit prudemment en indiquant la terrasse :

« Si vous permettez, je vais fumer une cigarette. »

Il sortit, alluma une cigarette et je le rejoignis.

« C'est à vous ? » me demanda-t-il en indiquant la poupée, mais comme s'il voulait dire quelque chose de spirituel pour se donner du temps et un ton. J'acquiesçai.

« Elle s'appelle Mina, c'est mon porte-bonheur. »

Il prit la poupée par le buste mais resta interdit et la reposa.

« Elle a de l'eau à l'intérieur. »

Je ne dis rien, je ne savais pas quoi dire.

Il me regarda d'un air circonspect, comme si

quelque chose en moi, pendant un instant, l'avait alarmé.

« Vous avez entendu parler, me demanda-t-il, de cette pauvre enfant dont on a volé la poupée ? »

21

Je m'obligeai à travailler et cela m'occupa une grande partie de la nuit. Depuis la prime adolescence j'ai appris à être très disciplinée : je chasse les pensées de ma tête, j'endors les douleurs et les humiliations et je laisse les angoisses de côté.

J'arrêtai vers quatre heures du matin. La douleur au dos m'était revenue, là où la pomme de pin m'avait frappée. Je dormis jusqu'à neuf heures et pris ensuite mon petit déjeuner sur la terrasse, devant une mer qui tremblait sous le vent. Nani était restée dehors, assise sur la table, et sa petite robe était humide. Pendant une fraction de seconde je crus qu'elle bougeait les lèvres et me tirait la pointe rouge de sa langue comme par jeu.

Je n'avais pas envie d'aller à la mer, je ne voulais même pas sortir de chez moi. Cela m'ennuyait de devoir passer près du bar et de voir Giovanni bavarder avec ses congénères, toutefois je sentais qu'il était urgent de résoudre la question de la poupée. Je regardai Nani avec mélancolie et lui fis une caresse sur la joue. Mon déplaisir de la perdre ne s'était pas atténué, il s'était même accru. J'étais confuse, par moments il me semblait qu'Elena pouvait s'en passer, mais pas moi. D'autre part j'avais été désinvolte, j'avais laissé entrer Giovanni sans la cacher au préalable. Pour la première fois je songeai à interrompre mes vacances, à partir aujourd'hui même, demain. Puis je ris de moi-même : à quelle dérive m'abandonnais-je, je projetais de fuir comme si j'avais enlevé une petite fille et non une poupée. Je débarrassai la table, me lavai et me maquillai avec soin. Je mis une jolie robe et sortis.

Au village c'était jour de marché. La place, le boulevard, les rues et les ruelles latérales étaient un labyrinthe de stands fermé à la circulation automobile, tandis que les abords du village étaient encombrés comme dans une grande ville. Je me perdis dans la foule, surtout des femmes qui fouillaient dans une marchandise des plus variées, robes, vestes, manteaux, imperméables, chapeaux, chaussures, colifichets, objets domestiques en tout genre, vraies ou fausses antiquités, plantes, fromages, charcuterie, fruits, légumes, marines de piètre qualité ou flacons miraculeux d'herboristerie. J'aime les marchés, surtout les stands de vêtements usagés et ceux d'objets et bibelots rétro. J'achète de tout, des vieilles robes, des chemisettes, des pantalons, des boucles d'oreilles, des broches ou des bibelots. Je m'arrêtai pour fouiller dans ce bric-à-brac : un presse-papiers en cristal, un vieux fer à repasser, des jumelles de théâtre, un

158

hippocampe en métal, une cafetière napolitaine.
J'étais en train d'examiner une épingle à cheveux
composée d'une pique dangereusement longue et
acérée et d'une belle poignée d'ambre noir, quand
mon portable sonna. Mes filles, me dis-je, même
si l'heure était improbable. Je regardai l'écran, il
n'y avait le nom ni de l'une ni de l'autre, mais
le numéro d'un portable qui m'évoquait quelque
chose. Je répondis.

« Madame Leda ?

— Oui.

— Je suis la mère de l'enfant qui a perdu sa
poupée, celle qui... »

Je fus étonnée, éprouvai de l'angoisse et du
plaisir, et mon cœur commença à battre à tout
rompre dans ma poitrine.

« Salut, Nina.

— Je voulais voir si c'était votre numéro.

— Oui, c'est le mien.

— Je vous ai vue, hier, dans la pinède.

— Moi aussi, je vous ai vue.

— Je voudrais vous parler.

— D'accord, dites-moi quand.

— Maintenant.

— Maintenant je suis au village, au marché.

— Je sais, je vous suis depuis dix minutes.
Mais je n'arrête pas de vous perdre, il y a trop
de monde.

— Je suis près de la fontaine. Il y a un stand de
vieux objets, je ne bouge pas d'ici. »

Je pressai deux doigts contre ma poitrine, je

159

voulais calmer la tachycardie. Je déplaçai des objets et en examinai quelques-uns mais machinalement, sans intérêt. Nina apparut au milieu de la foule, elle promenait Elena dans une poussette. De temps en temps elle retenait de la main le grand chapeau que son mari lui avait offert, pour éviter que le vent de mer ne l'emporte.

« Bonjour, dis-je à l'enfant qui avait le regard éteint et la tétine à la bouche, ta fièvre est tombée ? »

Nina répondit pour sa fille :

« Elle va bien mais elle ne se résigne pas, elle veut sa poupée. »

Elena enleva la tétine de sa bouche et dit :

« Elle doit prendre ses médicaments.

— Nani est malade ?

— Elle a un bébé dans le ventre. »

Je la regardai hésitante :

« Son bébé est malade ? »

Nina intervint en riant, un peu gênée :

« C'est un jeu. Ma belle-sœur prend des pilules alors Elena fait semblant d'en donner aussi à sa poupée.

— Nani aussi est enceinte ? »

La jeune femme dit :

« Elle a décidé que sa tante et sa poupée chérie attendaient toutes deux un enfant. C'est ça, Elena ? »

Son chapeau s'envola et je le rattrapai. Elle avait les cheveux attachés, son visage paraissait plus beau ainsi.

« Merci, avec le vent il ne tient pas.

— Attendez », lui dis-je.

J'arrangeai soigneusement son chapeau et utilisai la longue épingle à la poignée d'ambre pour le fixer à ses cheveux.

« Voilà, comme ça il ne tombera plus. Mais faites attention à la petite, à la maison désinfectez bien l'épingle, il suffit d'un rien pour se faire une vilaine égratignure. »

Je demandai au brocanteur combien elle coûtait, Nina voulut payer mais je m'y opposai.

« Ce n'est rien. »

Puis nous passâmes au tutoiement : c'est moi qui le lui proposai, elle refusa et dit que cela la gênait, mais ensuite elle céda. Elle se plaignit de la fatigue de ces derniers jours, l'enfant s'était montrée intraitable.

« Allez, ma chérie, on enlève cette tétine, dit-elle, ne fais pas la vilaine devant Leda. »

Elle parla de sa fille sur un ton agité. Elle dit qu'Elena, depuis qu'elle avait perdu sa poupée, avait régressé, voulait qu'on la porte ou qu'on la mette dans la poussette et elle était même revenue à la tétine. Nina regarda autour d'elle comme pour chercher un endroit plus tranquille et mena la poussette vers les jardins. Elle soupira, exaspérée, elle était vraiment fatiguée, et elle insista sur « fatiguée », elle voulait que j'y perçoive autre chose que la fatigue physique. Tout à coup elle éclata de rire, mais je compris qu'elle ne riait pas de joie, il y avait une part de malaise.

« Je sais que tu m'as vue avec Gino, mais tu ne dois pas penser à mal.

— Je ne pense du mal de rien ni de personne.

— Oui, on le comprend tout de suite. Au moment même où je t'ai vue, je me suis dit : je voudrais être comme cette dame-là.

— Qu'est-ce que j'ai de particulier ?

— Tu es belle, tu es raffinée, on voit que tu sais beaucoup de choses.

— Je ne sais rien. »

Elle secoua énergiquement la tête.

« Tu as l'air d'être tellement sûre de toi, tu n'as peur de rien. Je l'ai compris dès que tu es arrivée sur la plage la première fois. Je te regardais et j'espérais que tu regarderais dans ma direction, mais tu ne regardais jamais. »

Nous nous promenâmes un moment dans les allées du jardin, elle recommença à parler de la pinède et de Gino.

« Ce que tu as vu ne veut rien dire.

— Ne mens pas, maintenant.

— Mais c'est vrai, je le repousse et je garde les lèvres serrées. Je veux juste redevenir un peu une jeune fille, mais pour faire semblant.

— Tu avais quel âge quand Elena est née ?

— Dix-neuf ans, Elena a presque trois ans.

— Peut-être que tu es devenue mère trop tôt. »

Elle nia avec force.

« Je suis contente d'avoir Elena, je suis contente de tout. C'est juste à cause de ces derniers jours. Si je retrouve celui qui fait souffrir ma fille comme ça…

— Qu'est-ce que tu lui fais ? dis-je avec ironie.

— J'ai mon idée. »

Je lui caressai légèrement le bras comme pour l'apaiser. J'eus l'impression que, par obligation, elle mimait des tons et des formules de sa famille, elle avait même fait ressortir son accent napolitain pour être plus convaincante, et j'éprouvai quelque chose comme de la tendresse.

« Je me sens bien », répéta-t-elle plusieurs fois, et elle me raconta comment elle était tombée amoureuse de son mari : elle l'avait connu en discothèque, à seize ans. Il l'aimait, il les adorait, sa fille et elle. Elle rit à nouveau nerveusement.

« Il dit que mes seins sont juste à la taille de ses mains. »

La phrase me parut vulgaire.

« Et s'il te voyait comme moi je t'ai vue ? » dis-je.

Nina se fit sérieuse.

« Il me massacrerait. »

Je les regardai, l'enfant et elle.

« Qu'est-ce que tu attends de moi ? »

Elle secoua la tête.

« Je ne sais pas. Parler un peu. Quand je te vois à la plage, je me dis que j'aimerais passer toute la journée à bavarder sous ton parasol. Mais alors tu t'ennuierais, je suis stupide. Gino m'a dit que tu es prof d'université. Je m'étais inscrite en lettres, après le bac, mais je n'ai passé que deux examens, murmura-t-elle.

— Tu ne travailles pas ? »

Elle rit à nouveau.

« C'est mon mari qui travaille.

— Qu'est-ce qu'il fait ? »

Elle repoussa la question d'un geste farouche, un éclair hostile passa dans son regard.

« Je ne veux pas parler de lui. Rosaria est en train de faire les courses, d'un moment à l'autre elle peut m'appeler et alors on n'aura plus le temps, dit-elle.

— Elle ne veut pas que tu parles avec moi ? »

Elle fit une grimace de colère.

« D'après elle, je ne dois rien faire. »

Elle se tut un instant puis dit, hésitante :

« Est-ce que je peux te poser une question intime ?

— Vas-y.

— Pourquoi tu as abandonné tes filles ? »

Je réfléchis et cherchai une réponse qui puisse l'aider.

« Je les aimais trop et j'avais l'impression que l'amour que j'avais pour elles m'empêchait de devenir moi-même. »

Je m'aperçus qu'elle ne riait plus sans arrêt, maintenant elle faisait attention à chacune de mes paroles.

« Tu ne les as plus vues pendant trois ans ? »

Je confirmai.

« Et comment est-ce que tu t'es sentie sans elles ?

— Bien. C'était comme si tout en moi s'effondrait, et des parties de moi s'éparpillaient librement dans un sentiment de satisfaction.

— Est-ce que ce n'était pas douloureux ?

— Non, j'étais trop prise par ma propre vie. Mais j'avais un poids ici, comme si j'avais mal au ventre. Et je me retournais avec un coup au cœur chaque fois que j'entendais un enfant appeler maman.

— Alors tu allais mal, tu n'allais pas bien.

— J'allais comme une femme qui est en train de conquérir son existence et éprouve une foule de sentiments simultanés, parmi lesquels un manque insupportable. »

Elle me regarda, hostile.

« Si tu allais bien, pourquoi tu es revenue ? »

Je cherchai soigneusement mes mots.

« Parce que je me suis rendu compte que je n'étais pas capable de créer quelque chose à moi qui puisse vraiment rivaliser avec elles. »

Elle eut soudain un sourire content.

« Alors tu es revenue par amour pour tes filles.

— Non, je suis revenue pour la même raison que j'étais partie : par amour pour moi. »

Elle s'assombrit à nouveau.

« Qu'est-ce que tu veux dire ?

— Que je me suis sentie plus inutile et désespérée sans elles qu'avec elles. »

Ses yeux essayèrent de me sonder : ils fouillèrent dans ma poitrine et derrière mon front.

« Ce que tu cherchais, tu l'as trouvé et tu ne l'as pas aimé ? »

Je lui souris.

« Nina, ce que je cherchais, c'était un enchevêtrement confus de désirs et beaucoup de présomption. Si je n'avais pas eu de chance, il m'aurait fallu toute ma vie pour le comprendre. Mais j'ai eu de la chance et il m'a fallu seulement trois ans. Trois ans et trente-six jours. »

Elle ne me parut pas satisfaite.

« Comment est-ce que tu as décidé de revenir ?

— Un matin j'ai découvert que la seule chose que je désirais vraiment, c'était éplucher des fruits en faisant des serpentins sous les yeux de mes filles, et alors je me suis mise à pleurer.

— Je ne comprends pas.

— Quand nous aurons plus de temps, je te raconterai. »

Elle acquiesça avec force pour me signifier qu'elle ne désirait rien d'autre que rester à m'écouter, et entre-temps elle réalisa qu'Elena s'était endormie : elle lui ôta délicatement la tétine, l'enveloppa dans un kleenex et la mit dans son sac. Elle fit une jolie moue pour me communiquer la tendresse que lui inspirait sa fille et reprit :

« Et après ton retour ?

— Je me suis résignée à vivre peu pour moi et beaucoup pour mes deux filles : petit à petit cela a bien marché.

— Alors ça passe, dit-elle.

— Quoi ? »

Elle fit un geste qui indiquait un vertige mais aussi une sensation de nausée.

« Le bouleversement. »

Je me souvins de ma mère et dis :

« Ma mère utilisait un autre mot, elle appelait ça le broyage. »

Elle reconnut son sentiment dans ce mot et eut le regard d'une petite fille apeurée.

« C'est vrai, ton cœur est broyé : tu n'arrives pas à supporter de rester avec toi-même et tu as certaines pensées que tu ne peux pas dire. »

Puis elle me demanda à nouveau, cette fois avec l'expression douce de celle qui cherche une caresse :

« Donc ça passe. »

Je me dis que ni Bianca ni Marta n'avaient jamais essayé de me poser des questions comme celles de Nina, avec ce ton insistant qu'elle utilisait. Je cherchai des mots pour lui mentir tout en lui disant la vérité.

« Ma mère en a fait une maladie. Mais elle était d'une autre génération. Maintenant on peut vivre bien même si ça ne passe pas. »

Je la vis indécise, elle était sur le point de dire autre chose mais y renonça. Je sentis qu'elle avait besoin de me serrer contre elle et j'éprouvais le même besoin. C'était l'expression d'une gratitude qui se manifestait par la nécessité d'un contact.

« Il faut que j'y aille », dit-elle, et d'instinct elle m'embrassa sur les lèvres d'un baiser léger et gêné.

Quand elle recula, je vis derrière son dos, au fond du jardin et contre les stands et la foule, Rosaria et son frère, le mari de Nina.

22

« Il y a ta belle-sœur et ton mari », dis-je à voix basse.

Je vis un éclair de surprise irritée dans ses yeux, mais elle ne se départit pas de son calme et ne fit même pas mine de se retourner.

« Mon mari ?

— Oui. »

Le dialecte prit le dessus : qu'est-ce qu'il fout là, ce connard, il devait arriver demain soir, murmura-t-elle, et elle fit pivoter la poussette avec précaution pour ne pas réveiller l'enfant.

« Je peux te téléphoner ? me demanda-t-elle.

— Quand tu veux. »

Elle agita joyeusement la main en signe de salut et son mari lui rendit la pareille.

« Accompagne-moi », me dit-elle.

Je l'accompagnai. Le frère et la sœur, immobiles au bout de l'allée, me frappèrent pour la première fois par leur ressemblance. Même taille, même visage large, même cou robuste et même lèvre inférieure marquée et épaisse. Je me dis qu'ils étaient beaux, ce qui me surprit moi-même : des corps solides, bien plantés dans l'asphalte de la rue comme des plantes habituées à pomper la plus infime trace d'humidité. Ce sont de robustes coques de bateau, pensai-je, rien ne peut les arrêter. Pas comme moi, qui ne suis que remous. C'est la peur que j'ai de ces gens depuis l'enfance, parfois le dégoût, et aussi ma présomption d'avoir un destin raffiné et une grande sensibilité, qui m'ont empêchée jusqu'à présent d'admirer leur détermination. Quelle est la règle qui fait que Nina est belle et pas Rosaria ? Quelle est la règle qui fait que Gino est beau et pas ce mari menaçant ? Je regardai la femme enceinte et eus l'impression de voir, au-delà de son ventre enveloppé dans une robe jaune, sa fille qui se nourrissait d'elle. Je pensai à Elena qui dormait exténuée dans la poussette et à la poupée. Je voulais rentrer à la maison.

Nina embrassa son mari sur une joue et dit en dialecte : je suis tellement contente que tu sois arrivé en avance, et elle ajouta, alors qu'il se penchait déjà pour embrasser sa fille : elle dort, ne la réveille pas, tu sais que ces jours-ci elle m'a tourmentée – et puis, en m'indiquant de la main : tu te souviens de madame, c'est elle qui a retrouvé Lenuccia. L'homme embrassa doucement l'enfant sur le front : elle est en sueur, dit-il lui aussi en dialecte, c'est sûr qu'elle n'a plus de fièvre ?, et tandis qu'il se relevait – je vis son ventre lourd sous sa chemise – il s'adressa à moi d'un ton cordial, toujours en dialecte : vous êtes encore là, vous avez bien de la chance de n'avoir rien à faire, et Rosaria ajouta avec sérieux, mais en maîtrisant mieux ses paroles : madame travaille, Toni, et madame se fatigue aussi en se baignant, pas comme nous qui nous prélassons : bonne journée, madame Leda ; et ils s'en allèrent.

Je vis Nina glisser son bras sous celui de son mari, elle s'éloigna sans se retourner ne serait-ce qu'un instant. Elle parlait, elle riait. Il me sembla qu'elle avait été emportée d'un coup – trop menue comme elle l'était, entre son mari et sa belle-sœur – à une distance beaucoup plus grande que celle qui me séparait de mes filles.

En dehors du marché c'était le chaos des voitures, et les flots désordonnés d'adultes et d'enfants qui s'éloignaient des stands ou bien y confluaient. Je passai par des ruelles désertes. Je pris l'escalier jusqu'à mon appartement et montai le dernier étage avec un sentiment d'urgence.

La poupée était encore sur la table de la terrasse, le soleil avait séché sa robe. Je la déshabillai avec soin, je lui enlevai tout. Je me rappelai que Marta, quand elle était petite, avait l'habitude de fourrer des choses dans tous les petits trous qu'elle pouvait repérer, comme pour les cacher et être sûre de les retrouver. Une fois j'ai déniché de minuscules segments de spaghetti crus dans la radio. J'emportai Nani dans la salle de bains et la tins d'une main par le buste, la tête en bas. Je la secouai vigoureusement, des gouttes d'eau sombres coulèrent de sa bouche.

Qu'est-ce qu'Elena avait mis là-dedans ? J'avais été très heureuse d'apprendre, quand je m'étais retrouvée enceinte pour la première fois, qu'à l'intérieur de moi la vie était en train de se reproduire. Je voulais tout faire de mon mieux. Les femmes de ma famille se gonflaient, se dilataient. La créature installée en leur sein était comme une longue maladie qui les transformait, et même après l'accouchement elles ne redevenaient plus les mêmes. Mais moi je voulais une grossesse sous contrôle. Je n'étais pas ma grand-mère (sept enfants), je n'étais pas ma mère (quatre filles), je n'étais pas mes tantes ni mes cousines. J'étais différente et rebelle. Je voulais porter mon ventre gonflé avec plaisir, profiter des neuf mois d'attente, épier, guider et adapter mon corps à la gestation comme je l'avais fait avec toutes les choses de ma vie depuis la prime adolescence, obstinément. Je m'imaginais comme une tesselle brillante dans la mosaïque du futur. C'est pourquoi je fus vigilante et respectai strictement les prescriptions médicales. Pendant toute la durée de ma grossesse je parvins à rester belle, élégante, active et heureuse. Je parlais à la créature dans mon ventre, lui faisais écouter de la musique, lui lisais en version originale les textes sur lesquels je travaillais et les lui traduisais dans un effort d'inventivité qui me remplissait d'orgueil. Ce que Bianca est devenue pour moi par la suite, Bianca l'était dès le départ, un être supérieur, humanisé, intellectualisé, purifié des humeurs et du sang, et sans rien qui puisse évoquer la cruauté aveugle de la matière vivante en expansion. Même les longues et furieuses douleurs de l'accouchement je réussis à les dominer, je les remodelai comme une épreuve extrême à affronter avec une bonne préparation, en contenant la terreur et en laissant de moi – surtout à moi-même – un souvenir digne.

Je fus courageuse. Comme j'ai été heureuse quand Bianca est sortie de moi et m'est arrivée dans les bras pour quelques secondes, et je réalisai que cela avait été la joie la plus intense de ma vie. Quand maintenant je regarde Nani la tête en bas qui vomit dans le lavabo un crachin brun mélangé à du sable, je n'arrive pas à trouver la moindre similitude avec ma première grossesse : alors, même mes nausées furent brèves et contenues. Mais ensuite vint Marta. C'est elle qui agressa mon corps en l'obligeant à se révolter de manière incontrôlée. Aussitôt elle se manifesta non pas en tant que Marta, mais comme un morceau de fer à vif dans mon ventre. Mon organisme devint une liqueur sanglante, avec une lie bourbeuse en suspension où croissait un poulpe violent, tellement éloigné de toute humanité qu'il me réduisait, à mesure qu'il se nourrissait et gonflait, en une matière putrescente et sans vie. Nani qui crache du noir me ressemble quand je tombai enceinte pour la deuxième fois.

Alors j'étais déjà malheureuse, mais je ne le savais pas. J'avais l'impression que la petite Bianca, aussitôt après sa belle naissance, avait

brusquement changé et s'était emparée par traî-
trise de toute mon énergie, de toute ma force et de
toutes mes capacités d'imagination. Il me semblait
que mon mari, trop pris par son obsession d'agir,
ne se rendait même pas compte que sa fille, en
naissant, était devenue vorace, exigeante et antipathique comme elle ne l'avait jamais été quand
elle était dans mon ventre. Je découvris peu à peu
que je n'avais pas la force de rendre la deuxième
expérience aussi exaltante que la première. Mon
cerveau me laissa sombrer tout entière à l'intérieur de mon corps, nulle prose, poésie, figure de
rhétorique, phrase musicale, séquence de film ou
couleur n'était désormais capable d'apprivoiser la
bête obscure que je portais en mon sein. Pour moi
la chute véritable fut celle-là : le renoncement à
une quelconque sublimation de ma grossesse, et
même le renversement du souvenir heureux de la
première gestation et du premier accouchement.

Nani, Nani. Impassible, la poupée continuait
de vomir. Tu as déversé dans le lavabo toute ta
boue, c'est bien. Je lui ouvris les lèvres, d'un doigt
j'élargis le trou de sa bouche, je lui fis couler l'eau
du robinet à l'intérieur et puis je la secouai vigoureusement pour bien laver la cavité sombre du
tronc et du ventre, et faire enfin sortir l'enfant
qu'Elena lui avait mis dedans. Des jeux. Dire tout
aux petites filles, dès l'enfance : elles s'occupe-
ront ensuite de s'inventer un monde acceptable.
Moi-même maintenant je jouais, une mère n'est
qu'une fille qui joue, cela m'aidait à réfléchir.

Je cherchai ma pince à épiler, il y avait quelque chose dans la bouche de la poupée qui ne voulait pas sortir. Recommencer à partir de là, me dis-je, de cette chose. J'aurais dû prendre acte tout de suite, quand j'étais jeune, de cette enflure rougeâtre et molle que je serre maintenant dans ma pince en métal. L'accepter pour ce qu'elle est. Pauvre créature qui n'a rien d'humain. Voilà l'enfant que Lenuccia a inséré dans le ventre de sa poupée pour jouer et la rendre enceinte comme tante Rosaria. Je le retirai délicatement. C'était un ver du bord de mer, je ne connais pas son nom scientifique : un de ceux que les pêcheurs improvisés du crépuscule se procurent en creusant un peu dans le sable mouillé, comme le faisaient mes cousins plus âgés il y a quatre décennies de cela, entre le Garigliano et Gaète. Je les regardais, alors, avec un dégoût fasciné. Ils prenaient les vers avec leurs doigts et les transperçaient avec l'hameçon comme appât pour les poissons ; quand ceux-ci mordaient, ils les décrochaient d'un geste expert, les lançaient derrière eux et les laissaient agoniser sur le sable sec.

Je maintenais ouvertes les lèvres souples de Nani avec mon pouce tandis que j'opérais doucement avec la pince. J'ai horreur de tout ce qui rampe, mais pour ce caillot d'humeurs je ressentis une pitié vraie.

23

J'allai à la plage en fin d'après-midi. Je surveillai Nina à distance, depuis mon parasol, j'avais à nouveau la curiosité bienveillante des premiers jours de vacances. Elle était nerveuse, Elena ne la laissait pas tranquille un instant.

Au coucher du soleil, alors qu'elle s'apprêtait à rentrer à la maison et que l'enfant hurlait parce qu'elle voulait retourner se baigner, Rosaria s'entremit en proposant d'accompagner l'enfant dans l'eau : Nina perdit son calme et commença à crier contre sa belle-sœur dans un dialecte dur, plein de grossièretés, qui attira l'attention de toute la plage. Rosaria se tut. En revanche Tonino, son mari, intervint et la tira par le bras jusqu'à la rive. C'était un homme qui donnait l'apparence d'être entraîné à ne jamais perdre son calme, même quand ses gestes se faisaient violents. Il parla à Nina avec fermeté mais comme dans un film muet, pas le moindre son ne me parvint. Elle fixait le sable, se touchait les yeux du bout des doigts et par moments disait non.

Peu à peu la situation se normalisa et la famille s'achemina par groupes vers la villa dans la pinède, Nina échangeait des mots froids avec Rosaria et Rosaria portait dans ses bras Elena en la bécotant de temps en temps. Je vis Gino qui allait mettre de l'ordre parmi les chaises longues, les lits pliants et les jouets abandonnés. Je m'aperçus qu'il ramassait un paréo bleu qui avait été laissé accroché à un parasol et qu'il le repliait avec soin et concentration. Un petit garçon revint sur ses pas en courant, lui ôta des mains le paréo sans façon et presque sans ralentir, et disparut vers les dunes.

Le temps fila, mélancolique, et le week-end arriva. Dès le vendredi l'afflux massif de baigneurs recommença, il faisait chaud. La foule accrut la tension de Nina. Elle surveillait sa fille de manière obsessive et bondissait sur ses pieds avec un mouvement animal dès qu'elle la voyait s'éloigner de quelques pas. Sur la rive nous échangeâmes des saluts crispés et quelques mots sur l'enfant. Je m'agenouillai près d'Elena et lui dis quelque chose pour l'amuser, elle avait les yeux rouges et des piqûres de moustique sur une joue et sur le front. Rosaria aussi vint mettre les pieds dans l'eau mais elle m'ignora, c'est moi qui la saluai et elle me répondit de mauvaise grâce.

À un certain moment de la matinée je vis que Tonino, Elena et Nina mangeaient une glace assis dans le bar de l'établissement balnéaire. Je passai près d'eux pour aller commander un café au comptoir mais j'eus l'impression qu'ils ne me virent même pas, ils étaient trop occupés par la petite fille. Toutefois, quand je voulus payer, le gérant me dit que je ne devais rien, Tonino lui avait fait signe de le mettre sur son compte. Je voulais remercier mais ils avaient quitté le bar, ils étaient avec Elena au bord de l'eau, ils prêtaient peu d'attention à la petite, maintenant ils se disputaient.

Quant à Gino, il me suffisait de glisser un regard vers lui de temps en temps pour le surprendre en train de les surveiller à distance tandis qu'il faisait mine d'étudier. La plage devint de plus en plus bondée, Nina se fondit au milieu des baigneurs, mais le jeune homme laissa entièrement de côté son manuel d'examen et sortit les jumelles qui faisaient partie de son équipement comme s'il craignait d'un moment à l'autre l'arrivée d'un tsunami. Je ne songeais pas tant à ce qu'il voyait grâce à sa vue décuplée par les lentilles, qu'à ce qu'il imaginait : à l'heure de la sieste en début d'après-midi, lorsqu'il fit bien chaud et que la grande famille des Napolitains comme d'habitude quitta la plage, le lit conjugal dans la pénombre, Nina enlacée au corps de son mari, leur sueur.

La jeune mère revint sur la plage vers cinq heures de l'après-midi, joyeuse, son mari à ses côtés qui tenait Elena dans les bras, et Gino la fixa désolé avant de dissimuler son regard derrière son livre. Parfois il regardait de mon côté mais détournait les yeux aussitôt. Nous attendions tous deux la même chose : que le week-end passe vite, que la plage redevienne tranquille, que le mari de Nina s'en aille et qu'elle parvienne à reprendre contact avec nous.

Le soir j'allai au cinéma voir un film quelconque dans une salle à moitié vide. Une fois les lumières éteintes, alors que le film commençait, un groupe de jeunes entra. Ils mangeaient du pop-corn, riaient, s'insultaient, testaient leurs sonneries de portable et criaient des obscénités aux ombres des actrices sur l'écran. Je ne supporte pas d'être dérangée quand je regarde un film, serait-ce même un navet. Je commençai alors par émettre des sif-flements impérieux puis, comme ils n'arrêtaient pas, je me tournai vers eux et leur dis que s'ils ne cessaient pas, j'irais chercher l'ouvreur. C'étaient les enfants des Napolitains. Va le chercher, ton ouvreur, ils se fichèrent de moi, ils n'avaient peut-être jamais entendu le mot employé dans ce sens. L'un d'eux me cria en dialecte : vas-y, connasse, va le chercher l'autre enculé. Je me levai et allai à la billetterie. J'expliquai la situation à un homme chauve d'une gentillesse paresseuse. Il m'assura qu'il s'en occuperait et je regagnai donc la salle au milieu des ricanements des jeunes. L'homme arriva peu après, écarta le rideau et se présenta. Silence. Il resta là quelques minutes puis se retira. Aussitôt le chahut reprit, les autres spectateurs se taisaient, je me levai et criai d'un ton un peu hystérique : je sors et je vais chercher la police. Ils commencèrent à chanter d'une voix de fausset : et vive, vive / la police. Je m'en allai.

Le jour suivant, samedi, le gang était sur la plage et paraissait attendre que j'arrive. Ils ricanaient et me montraient du doigt, je vis que certains regardaient vers moi et parlaient à voix basse avec Rosaria. Je songeai à m'adresser au mari de Nina mais j'eus honte de cette idée, j'avais l'impression d'être entrée pendant un instant dans la logique du groupe. Vers deux heures, exaspérée par la foule et par la musique à plein volume qui provenait de l'établissement balnéaire, je rassemblai mes affaires et partis.

La pinède était déserte, bientôt je me sentis suivie. La pomme de pin qui m'avait frappée dans le dos me revint brusquement à la mémoire et j'accélérai le pas. Les piétinements derrière mon dos continuèrent, je fus saisie de panique et commençai à courir. J'entendis les bruits, les voix et les rires étouffés qui s'intensifiaient. Je n'aimai plus la clameur des cigales ni l'odeur de résine chaude, que j'identifiai à des instruments de mon anxiété. Je ralentis non pas parce que ma peur diminuait, mais par dignité.

À la maison je me sentis mal, je fus couverte de sueur froide, puis j'eus chaud et l'impression de suffoquer. Je m'allongeai sur le divan et me calmai lentement. J'essayai de me donner une contenance et balayai la maison. La poupée était restée nue, tête en bas dans le lavabo, je la rhabillai. Elle n'avait plus d'eau qui gargouillait dans son ventre, et j'imaginai celui-ci comme un fossé asséché. Mettre de l'ordre, comprendre. Je pensai à la façon dont un acte obscur en génère d'autres, qui se font de plus en plus obscurs, et alors le problème est d'interrompre la chaîne. Elena serait contente de récupérer sa poupée, me dis-je. Ou bien non, un enfant ne veut jamais seulement ce qu'il réclame, au contraire une demande satisfaite lui rend encore plus insupportable le manque qu'il n'avoue pas.

Je pris une douche et me regardai dans la glace pendant que je me séchais. Brusquement, l'impression que j'avais eue de moi-même au cours de ces derniers mois changea. Je ne me trouvai pas rajeunie mais vieillie, d'une maigreur excessive, un corps tellement sec qu'on l'aurait dit sans épaisseur, des poils blancs dans le noir du sexe.

Je sortis et allai me peser à la pharmacie. La balance imprima sur un papier mon poids et ma taille. J'avais perdu six centimètres et plusieurs kilos. J'essayai à nouveau et ma taille diminua encore plus, mon poids de même. Je m'en allai désorientée. Un de mes pires cauchemars, c'était que je puisse rapetisser, redevenir adolescente, enfant, et être condamnée à revivre ces phases de ma vie. Je n'avais commencé à m'aimer qu'après mes dix-huit ans, quand j'avais quitté ma famille et ma ville pour aller étudier à Florence.

Je me promenai jusqu'au soir sur le front de mer en grignotant de la noix de coco fraîche, des amandes grillées et des noisettes. Les magasins s'illuminèrent, les jeunes Noirs étalèrent leurs marchandises sur les trottoirs, un cracheur de feu commença à projeter de longues flammes, un clown qui nouait ensemble des ballons de couleur en reproduisant des formes d'animaux rassembla autour de lui un vaste public d'enfants, la foule du samedi soir s'intensifia. Je découvris que sur la place un bal se préparait et j'attendis qu'il commence.

J'aime danser, j'aime regarder les gens qui dansent. L'orchestre commença avec un tango, ce sont surtout des couples âgés qui se formèrent : ils étaient bons. Parmi les danseurs je reconnus Giovanni, il dansait en faisant des pas et des figures qui demandaient une sérieuse application. Le public augmenta, un cercle nourri se forma autour de la place. Les couples de danseurs se multiplièrent également et leur compétence diminua. Maintenant des personnes de tous âges dansaient, de gentils petits-fils avec leurs grands-mères, des pères avec leurs filles de dix ans, des femmes âgées avec d'autres femmes âgées, des enfants avec des enfants, des touristes avec des gens du coin. Tout à coup je découvris Giovanni devant moi qui m'invita à danser.

Je laissai mon sac à une vieille dame qu'il connaissait et nous dansâmes, une valse, je crois. À partir de ce moment-là nous ne nous arrêtâmes plus. Il parla de la chaleur, du ciel étoilé, de la pleine lune et des moules qui à cette période proliféraient. Je me sentis de mieux en mieux. Il était en nage, les muscles tendus, mais il continuait à m'inviter, il se comportait vraiment avec gentillesse et moi j'acceptais, je m'amusais beaucoup.

Il me quitta seulement, en s'excusant, quand à un certain moment apparut au milieu de la foule, au bord de la place, la famille des Napolitains.

J'allai récupérer mon sac et je l'observai tandis qu'il saluait en bonne et due forme Nina, Rosaria et enfin, avec une déférence particulière, Tonino. Je le vis même câliner maladroitement Elena qui, dans les bras de sa mère, mangeait une barbe à papa deux fois plus grosse que son visage. Quand les saluts se tarirent, il resta près d'eux, rigide, mal à l'aise, sans rien dire, mais comme s'il était fier de se montrer en leur compagnie. Je compris que la soirée était finie pour moi et je m'apprêtai à partir. Mais je m'aperçus que Nina confiait sa fille à Rosaria et obligeait maintenant son mari à danser. Je restai encore un peu pour la voir danser.

Ses mouvements avaient une harmonie naturelle et agréable même, et peut-être surtout, entre les bras de cet homme gauche. Je sentis qu'on m'effleurait le bras. C'était Gino, qui avait surgi comme une bestiole de quelque recoin où il était tapi. Il me demanda si je voulais danser, je dis que j'étais fatiguée et que j'avais très chaud, mais en même temps je sentis en moi une joie légère et alors je le pris par la main et nous dansâmes.

Je me rendis bientôt compte qu'il avait tendance à me guider vers Nina et son mari, il voulait qu'elle nous voie. Je me laissai faire, cela ne me déplaisait pas non plus de me montrer dans les bras de son soupirant. Mais dans la foule des couples il s'avéra difficile de les rejoindre et nous y renonçâmes tous deux sans nous le dire. J'avais gardé mon sac sur l'épaule mais tant pis. C'était agréable de danser avec ce jeune homme mince, très grand, bronzé, aux yeux brillants, aux cheveux ébouriffés et aux paumes sèches. Sa proximité était si différente de celle de Giovanni. Je sentais la différence de leurs corps et de leurs odeurs. Je la percevais comme un écart dans le temps : c'était comme si la même soirée, là sur la place, s'était déchirée en deux et que j'avais fini, par magie, par danser dans deux différentes saisons de ma vie. Quand la musique s'arrêta, je dis que j'étais fatiguée et Gino voulut me raccompagner. Nous laissâmes derrière nous la place, le front de mer et la musique. Nous parlâmes de son examen et de l'université. Devant la porte d'entrée je vis qu'il avait du mal à me saluer.

« Tu veux entrer ? » lui demandai-je.

Il fit signe que non, il était gêné et dit :

« Il est beau, le cadeau que vous avez fait à Nina. »

Cela m'énerva qu'ils aient trouvé le moyen de se voir et qu'elle lui ait même montré l'épingle. Il ajouta :

« Elle est vraiment heureuse de votre gentillesse. »

Je grommelai un oui, ça me fait plaisir. Il dit alors :

« J'ai quelque chose à vous demander.

— Quoi ? »

Il ne me regarda pas dans les yeux, il fixa le mur derrière mon dos.

« Nina veut savoir si vous seriez disposée à nous prêter votre appartement pour quelques heures. »

Je me sentis mal à l'aise, un accès de mauvaise humeur m'empoisonna le sang. Je regardai fixement le jeune homme pour comprendre s'il cachait derrière cette formulation une requête non pas de Nina, mais née de son propre désir. Je répondis, brusque :

« Dis à Nina que je veux parler avec elle.

— Quand ?

— Dès que possible.

— Son mari part demain soir, avant ce n'est pas possible.

— Lundi matin, ça ira. »

Il se tut, maintenant il était nerveux et n'arrivait pas à s'en aller.

« Vous êtes fâchée ?

— Non.

— Pourtant vous avez fait une drôle de tête. »

Je dis d'un ton glacial :

« Gino, l'homme qui s'occupe de mon appartement connaît Nina et trafique avec son mari. »

Il fit une moue de mépris, un petit sourire.

« Giovanni ? Il compte pour du beurre, dix euros et il se tait. »

Je lui dis alors avec une colère que je ne parvins pas à dissimuler :

« Pourquoi c'est justement à moi que vous avez choisi de demander ?

— C'est Nina qui a voulu. »

24

J'eus du mal à m'endormir. Je pensai à téléphoner à mes filles, elles étaient là dans un coin de ma tête mais je les perdais sans arrêt dans la confusion de ces derniers jours. Cette fois aussi je renonçai. Elles m'énuméreront tout ce dont elles ont besoin – je soupirai. Marta dira que je me suis occupée d'envoyer les notes à Bianca mais que j'ai oublié quelque chose – je ne sais quoi, il y a toujours quelque chose – qu'elle-même m'avait demandé. C'est comme ça depuis qu'elles sont petites, elles vivent dans la suspicion que je m'emploie plus pour l'une que pour l'autre. Autrefois c'étaient les jouets, les friandises et même la quantité de baisers que je distribuais. Ensuite elles ont commencé à discuter des vêtements, des chaussures, des scooters, des voitures, en un mot de l'argent. Maintenant je dois faire attention à toujours donner à l'une exactement autant qu'à l'autre, parce que chacune tient une comptabilité secrète et rancunière. Dès leur plus jeune âge elles ont senti que mon affection était fuyante et par conséquent

185

elles l'évaluent sur la base des services concrets que je fournis, des biens que je distribue. Parfois je pense qu'elles me voient désormais seulement comme un héritage matériel qu'elles devront se disputer après ma mort. Elles ne veulent pas qu'il se produise, avec l'argent et notre peu de biens, ce qui s'est produit d'après elles avec la transmission des caractéristiques de mon corps. Non, je n'ai pas envie d'entendre leurs lamentations. Pourquoi est-ce qu'elles ne me téléphonent pas ? Si le téléphone ne sonne pas, c'est à l'évidence qu'elles n'ont pas de requêtes urgentes. Je me tournais et me retournais dans mon lit, le sommeil ne venait pas et j'étais en colère.

Quand même, satisfaire les prétentions de mes filles, passe encore. À tour de rôle, après des disputes sanglantes, Bianca et Marta m'avaient demandé cent fois, à la fin de l'adolescence, de leur laisser l'appartement. Elles avaient leurs histoires de sexe et j'avais toujours été consentante. Je me disais : mieux vaut à la maison qu'en voiture, dans une rue sombre ou un champ, parmi mille désagréments et exposées à tant de risques. Ainsi j'étais allée, mélancolique, en bibliothèque, au cinéma ou dormir chez une amie. Mais Nina ? Nina, c'était une image sur une plage d'août, un échange de regards et de quelques paroles, tout au plus la victime – sa fille et elle – d'un geste inconsidéré de ma part. Pourquoi devais-je lui laisser mon logement ? Comment cela avait-il pu lui venir à l'esprit ?

Je me levai, errai à travers l'appartement et sortis sur la terrasse. La nuit était encore pleine d'échos de la fête. Je sentis tout à coup, clairement, le fil tendu entre cette fille et moi : presque aucune fréquentation et pourtant un lien naissant. Peut-être voulait-elle que je lui refuse les clefs, de manière à pouvoir refuser à son exaspération un défoulement dangereux. Ou bien elle voulait que je lui donne les clefs, un geste l'autorisant à tenter une fuite périlleuse, la voie vers un futur différent de celui qui était déjà écrit. En tout cas, elle désirait que je mette à son service l'expérience, la sagesse et la force rebelle que, dans son imagination, elle m'attribuait. Elle exigeait que je m'occupe d'elle et la suive pas à pas en la soutenant dans les choix que je l'aurais de toute façon poussée à faire, en lui donnant les clefs ou en les lui refusant. Il me sembla, à présent que la mer et le village étaient devenus silencieux, que le problème n'était pas sa requête de quelques heures d'amour avec Gino dans mon appartement, mais le fait de se livrer à moi pour que je m'occupe de sa vie. Comme le phare jetait à intervalles réguliers une lumière insupportable sur la terrasse, je me levai et rentrai.

Je mangeai du raisin dans la cuisine. Nani était sur la table. Je lui trouvai un air propre et neuf, mais aussi une expression indéchiffrable, comme un tohu-bohu intérieur, sans la lumière d'un ordre certain, d'une vérité. Quand est-ce que Nina m'avait choisie, là sur la plage ? Comment étais-je entrée dans sa vie ? Par à-coups, certainement, de manière chaotique. Je lui avais attribué un rôle de mère parfaite, de fille bien réussie, mais je lui avais compliqué l'existence en subtilisant la poupée d'Elena. Je lui avais paru une femme libre, autonome, raffinée, courageuse et sans zones obscures, mais j'avais répondu à ses questions anxieuses par des énigmes. À quel titre ? Pourquoi ? Nos affinités étaient superficielles, elle courait des risques bien plus grands que ceux que j'avais courus vingt ans auparavant. Quand j'étais jeune, j'étais dotée d'une robuste idée de moi-même, j'étais ambitieuse et je m'étais détachée de ma famille d'origine avec la même force effrontée qu'on utilise pour se libérer de quelqu'un qui nous frappe. J'avais quitté mon mari et mes filles à un moment où j'étais sûre d'en avoir le droit et d'être dans le vrai ; sans compter que Gianni, s'il avait été désespéré, ne m'avait pas persécutée, c'était un homme attentif aux besoins des autres. Pendant les trois années sans mes filles je n'avais jamais été seule, il y avait Hardy, un homme prestigieux qui m'aimait. Je me sentais soutenue par un petit monde d'amies et d'amis qui, même quand ils me combattaient, respiraient la même culture que moi, comprenaient mes ambitions et mon mal-être. Quand le poids au fond de mon ventre était devenu insupportable et que j'étais revenue auprès de Bianca et Marta, quelques-uns s'étaient retirés en silence de ma vie, quelques portes s'étaient fermées pour toujours, mon ex-mari avait décidé que son tour était venu de fuir et il était parti au Canada, mais personne ne m'avait chassée en m'accusant d'être une mère indigne. Nina, en revanche, n'avait pas la moindre des défenses que j'avais mises en place avant la rupture. De surcroît, entre-temps, le monde ne s'était pas amélioré du tout, il était même devenu beaucoup plus hostile envers les femmes. Pour beaucoup moins que ce que j'avais fait il y a des années, elle risquait – c'est elle qui me l'avait dit – de se faire massacrer.

Je portai la poupée dans la chambre à coucher. Je lui donnai un coussin sur lequel s'appuyer, je l'installai sur le lit comme on le faisait autrefois dans certaines maisons du Sud, assise, les bras écartés, et je m'allongeai près d'elle. Brenda, la jeune Anglaise que j'avais rencontrée juste pendant quelques heures en Calabre, me revint à l'esprit et je compris soudain que le rôle vers lequel me poussait Nina était le même que je lui avais attribué. Brenda était apparue sur l'autoroute vers Reggio de Calabre et je l'avais investie d'une puissance que j'aurais voulu avoir à mon tour. Peut-être s'en était-elle aperçue et, à distance, avec un geste minimal, elle m'avait aidée, en me laissant ensuite la responsabilité de ma vie. Je pouvais en faire autant. J'éteignis la lumière.

Je me réveillai tard, mangeai quelque chose et renonçai à aller à la plage. C'était dimanche et le dimanche précédent m'avait laissé le pire des souvenirs. Je m'installai sur la terrasse avec mes livres et mes cahiers.

J'étais assez satisfaite de mon travail en cours. Ma vie universitaire n'avait jamais été facile, mais ces derniers temps les choses s'étaient encore compliquées – certainement par ma faute, au fil des années mon caractère avait empiré, j'étais devenue entêtée et parfois irascible – et il était urgent que je me remette à étudier avec rigueur. Les heures filèrent sans distractions. Je travaillai tant qu'il y eut de la lumière, seulement dérangée par la chaleur humide et par quelques guêpes.

Alors que je regardais un téléfilm, il était près de minuit, mon portable sonna. Je reconnus le numéro de Nina et répondis. D'un souffle elle me demanda si elle pouvait venir chez moi le lendemain, à dix heures du matin. Je lui donnai l'adresse, éteignis le téléviseur et allai me coucher.

Le lendemain je sortis de bonne heure et cherchai quelqu'un qui me fasse un double des clefs. Je rentrai à la maison à dix heures moins cinq et mon portable sonna pendant que j'étais encore dans l'escalier. Nina dit qu'elle ne pouvait pas venir à dix heures et qu'elle espérait pouvoir passer chez moi vers six heures.

Elle a déjà décidé, me dis-je, elle ne viendra pas. Je préparai mon sac pour aller à la plage mais ensuite j'y renonçai. Je n'avais pas envie de voir Gino, et les enfants gâtés et violents des Napolitains m'énervaient. Je pris une douche, mis un maillot deux pièces et m'allongeai au soleil sur la terrasse.

La journée s'écoula lentement entre douches, soleil, fruits et travail. De temps en temps je pensais à Nina et regardais ma montre. En la convoquant je lui avais tout rendu plus difficile. Au début elle avait dû compter sur le fait que je donne les clefs à Gino et que je me mette d'accord avec lui sur le jour et l'heure où j'aurais dû quitter l'appartement. Mais à partir du moment où j'avais demandé à parler directement avec elle, elle avait commencé à tergiverser. J'imaginai qu'elle n'avait pas envie de m'adresser en personne une demande de complicité.

Pourtant à cinq heures, alors que j'étais encore au soleil, en maillot et les cheveux mouillés, on sonna à l'interphone. C'était elle. Je lui ouvris et attendis sur le seuil qu'elle monte. Elle apparut avec son chapeau neuf, épuisée. Je lui dis : entre,

j'étais sur la terrasse, un instant, je m'habille.
Elle fit signe que non, énergiquement. Elle avait
laissé Elena et Rosaria avec l'excuse qu'elle devait
acheter des gouttes à la pharmacie, elle en avait
besoin pour dégager le nez de la petite. Elle res-
pire mal, me dit-elle, elle est toujours dans l'eau
et elle s'est enrhumée. Je sentis qu'elle était très
agitée.

« Assieds-toi un instant. »

Elle retira l'épingle du chapeau et déposa les
deux objets sur la table du séjour – je me dis, en
regardant l'ambre noir et la longue pique luisante,
qu'elle avait mis son chapeau juste pour me montrer qu'elle portait mon cadeau.

« C'est joli ici, dit-elle.

— Tu veux vraiment les clefs ?

— Si tu es d'accord. »

Nous nous assîmes sur le divan. Je lui dis que
j'étais surprise et lui rappelai avec douceur qu'elle
avait affirmé se sentir bien avec son mari, et que
Gino était seulement un jeu. Elle confirma tout,
mal à l'aise. Je souris.

« Et alors ?

— Je n'en peux plus. »

Je cherchai son regard, elle ne s'esquiva pas,
et je lui dis d'accord. Je pris les clefs dans mon
sac et les mis sur la table, près de l'épingle et du
chapeau.

Elle regarda les clefs mais ne me parut pas heureuse. Elle dit :

« Qu'est-ce que tu penses de moi ? »

Je me mis à parler avec le ton que j'utilise d'ordinaire avec mes étudiantes.

« Je pense que comme ça tu vas à la catastrophe. Il faut que tu reprennes tes études, Nina, que tu aies un diplôme et trouves un travail. »

Elle fit une moue déçue.

« Je ne sais rien et je ne vaux rien. Je me suis retrouvée enceinte, j'ai accouché d'une fille et je ne sais même pas qui je suis. Tout ce que je désire vraiment, c'est fuir. »

Je soupirai.

« Fais ce que tu as envie de faire.

— Tu m'aideras ?

— C'est ce que je suis en train de faire.

— Où est-ce que tu habites ?

— À Florence. »

Elle eut son rire habituel, nerveux.

« Je viendrai te voir.

— Je te laisserai mon adresse. »

Elle s'apprêta à prendre les clefs mais je me levai et lui dis :

« Attends, je dois te donner autre chose. »

Elle me regarda avec un sourire hésitant, elle dut croire qu'il s'agissait d'un nouveau cadeau. J'allai dans la chambre à coucher et pris Nani. Quand je revins, elle jouait avec les clefs, un petit sourire aux lèvres. Elle dit dans un souffle stupéfait :

« C'est toi qui l'avais prise. »

Je fis signe que oui ; elle bondit sur ses pieds, abandonna les clefs sur la table comme si elles étaient brûlantes et murmura :

« Pourquoi ?

— Je ne sais pas. »

Alors brusquement elle haussa le ton et dit :

« Tu lis et tu écris toute la journée, et tu ne sais pas ?

— Non. »

Elle secoua la tête, incrédule, et baissa la voix.

« C'est toi qui l'avais. Tu l'as gardée alors que moi je ne savais pas quoi faire. Ma fille pleurait, elle me rendait folle, et toi, silence, tu nous regardais, mais tu n'as pas bougé, tu n'as rien fait.

— Je suis une mère dénaturée », dis-je.

Elle approuva et s'exclama oui, tu es une mère dénaturée, elle m'enleva la poupée des mains avec un geste féroce de réappropriation, elle cria pour elle-même en dialecte : je dois m'en aller, et elle me hurla en italien : je ne veux plus te voir, je ne veux plus rien de toi, et elle se dirigea vers la porte.

Je fis un geste ample et lui dis :

« Prends donc les clefs, Nina, je pars ce soir et l'appartement restera vide jusqu'à la fin du mois », et je me tournai vers la porte-fenêtre, je ne supportais pas de la voir ainsi emportée par une rage sauvage, je murmurai :

« Je suis désolée. »

Je n'entendis pas claquer la porte. Un instant je pensai qu'elle avait décidé de prendre les clefs, mais ensuite je l'entendis dans mon dos, elle siffla des insultes en dialecte, aussi terribles que celles que savaient prononcer ma grand-mère et ma mère. J'allai me retourner quand je sentis un élancement du côté gauche, aussi rapide qu'une brûlure. Je baissai les yeux et vis la pointe de l'épingle qui jaillissait de ma peau, au-dessus de mon ventre, juste sous les côtes. La pointe n'apparut que pendant une fraction de seconde, le temps que dura la voix de Nina, son souffle chaud, et puis elle disparut. La jeune femme jeta l'épingle par terre, elle ne prit pas le chapeau, elle ne prit pas les clefs. Elle s'enfuit avec la poupée en fermant la porte derrière elle.

J'appuyai le bras contre la porte-fenêtre et regardai mon flanc, la petite goutte de sang immobile sur la peau. J'avais un peu froid et j'avais peur. J'attendis qu'il m'arrive quelque chose, mais il ne se passa rien. La goutte devint sombre, coagula, et mon impression d'avoir été traversée par un douloureux fil de feu s'estompa.

J'allai m'asseoir avec précaution sur le divan. Peut-être que l'épingle m'avait transpercé le flanc comme une épée transperce le corps d'un ascète soufi, sans faire de dommage. Je regardai le chapeau sur la table, la croûte de sang sur la peau. La nuit tomba, je me levai et allumai la lumière. Je commençai à préparer mes bagages mais en faisant des gestes lents, comme si j'étais gravement malade. Quand les valises furent prêtes, je m'habillai, mis mes sandales et arrangeai mes cheveux. À ce moment-là mon portable sonna. Je vis le nom de Marta, j'éprouvai une grande joie et répondis. Bianca et elle, à l'unisson, comme si elles avaient préparé leur phrase et qu'elles la récitaient en accentuant de manière exagérée mon rythme napolitain, me hurlèrent gaiement dans les oreilles :

« Maman, qu'est-ce que tu fais, tu ne téléphones plus ? Tu nous tiens au courant, au moins, si tu es morte ou vive ?

— Je suis morte, mais je vais bien », murmurai-je, émue.

DU MÊME AUTEUR

Aux Éditions Gallimard

L'AMOUR HARCELANT, 1995.
LES JOURS DE MON ABANDON, 2004 (*Folio n° 6165*).
POUPÉE VOLÉE, 2009 (*Folio n° 6351*).
L'AMIE PRODIGIEUSE, 2014 (*Folio n° 6052*).
LE NOUVEAU NOM, 2016 (*Folio n° 6232*).
CELLE QUI FUIT ET CELLE QUI RESTE, 2017.
L'ENFANT PERDUE, 2018.

Aux Éditions Gallimard Jeunesse

LA PLAGE DANS LA NUIT, illustrations de Mara Cerri, 2017.

COLLECTION FOLIO

Composition : Nord Compo
Impression Novoprint
à Barcelone, le 25 juillet 2017
Dépôt légal : juillet 2017

ISBN 978-2-07-273380-2./ Imprimé en Espagne.